Sir William Osler
1849-1919

L'organisme Associated Medical Services, Inc. (AMS) a été fondé en 1936 par le Dr Jason Hannah. Il s'agissait alors d'un organisme sans but lucratif faisant figure de pionnier dans le domaine des soins de santé à tiers payant en Ontario. À la suite de l'avènement des régimes d'assurance maladie, AMS est devenu un organisme philanthropique qui accorde son appui à des projets innovateurs dans le domaine de la médecine universitaire et des services de santé, tout particulièrement en histoire de la médecine et des soins de la santé. AMS soutient également les innovations dans le domaine de la bioéthique et de l'éducation des professionnelles et des professionnels de la santé.

Making a Healthy Contribution
ASSOCIATED MEDICAL SERVICES

SIR WILLIAM OSLER
Tiré de la collection personnelle de C. G. Roland

Sir William Osler
1849-1919

Petite anthologie à l'intention des étudiants en médecine

SOUS LA DIRECTION ET AVEC UNE INTRODUCTION
DE CHARLES G. ROLAND

AMS

Making a Healthy Contribution

ASSOCIATED MEDICAL SERVICES

Données de catalogage avant publication (Canada)
Osler, William, Sir, 1849-1919.
  Sir William Osler, 1849-1919 : petite anthologie
à l'intention des étudiants en médecine.

ISBN 0-9691429-3-5

1. Médecine.
2. Enseignement de la médecine.
I. Roland, Charles G., 1933-   II. Institut Hannah
  d'histoire de la médecine.   III. Titre.

R708.077514 1987   610   C87-090146-X

©**1982 Associated Medical Services, Inc.**
Réimprimé en 2008

ISBN 0-9691429-3-5

2 3 4 ICH 90 89 88 87

Conception de la page couverture : Richard Clewes

Imprimé au Canada

Table des matières

Préface

EN 1982, à la suite d'une proposition des cinq professeurs Hannah, l'Associated Medical Services (AMS) accepta d'appuyer la publication d'une anthologie des oeuvres d'Osler sélectionnée et préparée par le Dr Charles Roland, alors professeur de la chaire Hannah d'histoire de la médecine à l'Université McMaster. On était d'avis que les étudiants en médecine trouveraient les écrits du Dr Osler « intéressants, stimulants et propres à répondre aux nombreuses questions qu'ils se poseraient au fur et à mesure qu'ils acquerraient de la maturité dans la pratique de leur noble profession. » L'intention originale était d'offrir le volume uniquement aux étudiants en médecine de l'Ontario.

Voilà déjà vingt-cinq ans que l'anthologie a été publiée pour la première fois en anglais à l'intention des étudiants des facultés de médecine de l'Ontario. Depuis ce temps, elle été traduite en français et est désormais offerte par AMS à tous les étudiants qui entreprennent des études en médecine dans une université canadienne.

On a décidé, en 2007, d'apporter certaines modifications à la présentation des deux volumes sans toutefois en changer le contenu. Les volumes arborent aussi le nouveau logo d'AMS, adopté en 2005.

AMS se réjouit de pouvoir continuer à contribuer à la cause de la santé en offrant ce livre aux futurs médecins canadiens dans l'espoir qu'ils se laisseront inspirer par les paroles d'un des plus grands médecins de tous les temps.

OSLER DANS LES SALLES
DE L'HOPITAL JOHNS HOPKINS, ENV. 1904
Tiré de la collection personnelle de C. G. Roland

Sir William Osler

WILLIAM OSLER est né en 1849 à Bond Head, en Ontario, de parents qui avaient émigré de l'Angleterre une douzaine d'années auparavant. Son père fut ministre de l'Église anglicane dans cette région jusqu'au moment où, désireux d'assurer une éducation adéquate à ses neuf enfants, dont Will était l'avant-dernier, il déménagea à Dundas avec sa famille. Will avait alors huit ans. La famille demeura à Dundas pendant de nombreuses années mais Will, pour sa part, fut envoyé au pensionnat à deux reprises avant d'entrer à l'Université de Toronto en 1867, avec l'intention de suivre la vocation de son père.

Il n'en fut cependant pas ainsi. En effet, inspiré par l'enseignement de deux hommes—un pasteur et un médecin—William découvrit le microscope et, par ricochet, la nature et la science. La théologie fit donc place à la médecine qu'il étudia d'abord à Toronto, pendant deux ans, puis à McGill pendant deux autres années. C'est d'ailleurs là qu'en 1872, il obtint son doctorat en médecine avec mention honorable. Après avoir passé deux années en Europe à poursuivre des études informelles de deuxième cycle, Osler revint au Canada où il travailla d'abord comme médecin intérimaire à Dundas et à Hamilton avant d'aller par la suite enseigner à McGill. De 1874 à 1884, Osler enseigna aux étudiants en médecine et en médecine vétérinaire, pratiqua des autopsies, s'occupa de milliers de malades dans les hôpitaux, tout en conservant un petit cabinet privé, et publia dans diverses revues des exposés très perspicaces au sujet de son travail.

En 1884, sa réputation n'était déjà plus à faire. Cette année là, il fut admis comme membre associé du Collège royal des médecins. En dépit des efforts déployés pour le retenir à Montréal, il accepta bientôt l'invitation de l'Université de Pennsylvanie d'où, cinq ans plus tard, il fut choisi pour devenir le premier directeur de médecine de l'Hôpital Johns Hopkins et de l'école de médecine qui s'y rattachait. Il demeura à l'Hôpital Johns Hopkins de 1889 à 1905 et acquit pendant ce temps une solide réputation internationale comme clinicien et professeur remarquables, intéressé aux méthodes innovatrices dans l'enseignement de la médecine. La clinique Johns Hopkins faisait en effet déjà le lien entre l'étude théorique de la médecine et son application dans les hôpitaux, plaçant ainsi la formation pratique au cœur même du programme d'études des étudiants en médecine. En 1892, Osler publia la première édition de son célèbre manuel, *The Principles and Practice of Medicine*, un ouvrage particulièrement clair et bien rédigé qui aura une énorme influence sur la médecine pendant plus de quarante ans.

En 1905, Osler était tellement submergé de travail qu'il accepta l'invitation du roi Edouard VII (sur la recommandation du Premier ministre de Grande-Bretagne) de devenir professeur regius de médecine à l'Université d'Oxford. C'était le poste en médecine le plus prestigieux de Grande Bretagne, bien que peu exigeant du côté clinique. Il s'installa à Oxford avec Grace, son épouse depuis treize ans, et Revere, son fils de neuf ans. En 1911, il fut fait baronnet. Durant les quatorze dernières années de sa vie, Osler continua sans cesse à réviser son manuel, à écrire des articles d'intérêt clinique, des essais historiques et les « petits sermons intimes » auxquels son nom est si étroitement lié.

Au moment de sa mort, en 1919, encore accablé de douleur par la perte de son fils unique dans les Flandres deux ans auparavant, Sir William était sans aucun doute le médecin le plus connu et le plus aimé du monde anglophone. Il était demeuré étroitement attaché au Canada, n'ayant jamais renoncé à sa citoyenneté. Sa famille y vivait d'ailleurs encore et il avait de nombreux amis d'un bout à l'autre du pays. Dans son testament, il légua à l'Université McGill sa magnifique bibliothèque consacrée à l'histoire, bibliothèque qui est depuis plus d'un demi siècle une source de savoir en histoire de la médecine.

Osler a influencé un très grand nombre d'hommes et de femmes au cours de sa vie, mais personne autant que les étudiants en médecine. Il aimait les étudiants, et les étudiants le lui rendaient bien, ne manquant jamais ses cours et ses cliniques, se disputant les places dans son entourage à l'hôpital et notant non seulement ses observations cliniques mais aussi ses mots d'esprit sur tous les sujets. Osler avait pris l'initiative d'organiser des classes libres en microscopie à McGill au moment où le microscope était encore très peu utilisé dans l'enseignement de la médecine en Amérique du Nord. La maison Osler—que ce soit son studio à Montréal ou à Philadelphie ou encore la résidence familiale à Baltimore ou à Oxford—était ouverte aux étudiants tout comme aux internes, aux résidents et aux collègues. Avec beaucoup d'à-propos, sa résidence d'Oxford avait été surnommée « À bras ouverts ». Comme professeur, Osler avait un talent hors de l'ordinaire pour attirer les étudiants les plus brillants vers des sphères d'étude qui sauraient les enthousiasmer à un point tel qu'ils y consacreraient souvent leur vie. C'est pour ces raisons, et pour bien d'autres encore, qu'il nous a paru à propos de rééditer quelques-uns des essais d'Osler à l'intention toute spéciale des étudiants en médecine.

Ceux qui en prendront la peine apprendront beaucoup de la vision que William Osler se faisait de l'exercice, de l'enseignement et de l'histoire de la médecine. J'ose espérer qu'il apparaîtra évident qu'il considérait ces trois aspects de notre vie professionnelle comme étroitement liés, voire interdépendants. Certains lecteurs trébuchent à l'occasion sur le style d'Osler, une réaction provoquée sans doute par son usage prolifique d'allusions (et de citations) tirées de la littérature classique de tous genres, plus particulièrement de la Bible, de la prose et de la poésie grecques et latines ainsi que des œuvres de Shakespeare et d'Emerson. Le système d'enseignement de ce côté ci de l'Atlantique a depuis longtemps abandonné toute prétention à prodiguer une solide base classique à tous ses étudiants (ou même à un nombre substantiel d'entre eux), si bien que de telles allusions peuvent dérouter le lecteur moderne. Mis à part cette difficulté potentielle, les six essais et la lettre au rédacteur qui constituent la présente anthologie contiennent plusieurs passages stimulants et fort bien écrits et présentent des messages qui sont loin d'être dépassés ou de faire figure de clichés. C'est ainsi, par exemple que les conseils inspirés du simple bon sens que l'on retrouve dans « Aequanimitas » peuvent profiter à tous.

Comme la bibliographie d'Osler compte plus de 1 500 articles, la présente anthologie doit laisser de côté de nombreux exemples intéressants. Ceux qui voudront poursuivre leurs lectures trouveront cependant une courte bibliographie à la fin de l'anthologie. Les essais qui ont été sélectionnés offrent un éventail des écrits incitatifs et historiques d'Osler et ont été choisis pour représenter différentes périodes de sa vie, de l'âge de trente six à celui de cinquante huit ans.

L'enseignement et la recherche en histoire de la médecine n'ont pas véritablement acquis de base professionnelle en Amérique du Nord avant la deuxième décennie suivant la mort d'Osler. Malgré cela, Osler avait bien reconnu les avantages humanistes et pratiques de connaître les origines de notre profession et il a agi en conséquence en choisissant souvent de présenter un point de vue historique. Il l'a fait de diverses manières; certaines sont illustrées dans les trois essais historiques de la présente collection, et d'autres, dans la courte lettre de la fin.

Si vous, cher lecteur, découvrez un intérêt dans ces aspects non techniques de la médecine—aspects qui souvent sont les victimes des contraintes imposées aux programmes d'études même dans les meilleures écoles—alors cette petite anthologie aura bien servi son but.

Charles G. Roland, M. D.
Professeur émérite titulaire de la chaire
Hannah d'histoire de la médecine à
l'Université McMaster de Hamilton, en Ontario.

WILLIAM OSLER

Courtoisie de la National Library of Medicine, Bethesda, Maryland

Aequanimitas[*]

« Aequanimitas » a d'abord été publié sous forme de brochure,
l'année même où le discours fut prononcé (Philadelphie,
W.F. Fell & Co., 1889) et a servi de titre à l'anthologie d'Osler,
*Aequanimitas, with other Addresses to Medical Students, Nurses
and Practitioners of Medicine*, d'abord publiée en 1904 et
plusieurs fois par la suite (Londres, H.K. Lewis; Philadelphie,
P. Blakiston's Sons & Co.).

AUX YEUX de plusieurs, la froideur découlant de la coutume a fait de ces
réunions annuelles imposantes des cérémonies ennuyeuses et mornes.
Mais, pour vous, du moins pour ceux qui sont ici présents, elles devraient
avoir la solennité d'un rituel—appelés que vous êtes aujourd'hui à une
haute dignité et à de si lourdes charges et fonctions. Vous avez choisi votre
Génie, vous êtes passés sous le Trône de la Nécessité et, avec la voix des
soeurs du Destin résonnant encore dans vos oreilles, vous vous engagerez
bientôt dans la plaine de l'Oubli et vous boirez aux eaux de sa rivière. Avant
que vous ne soyez entraînés de tous côtés, comme les âmes dans le conte
d'Er de Pamphylie[**], il est de mon devoir de vous dire quelques mots
d'encouragement et de vous souhaiter, au nom de la Faculté, bonne chance
pour le voyage que vous entreprenez.

Je pourrais avoir le coeur de vous ménager, vous, pauvres survivants
d'une lutte sans merci, rongés par les soucis, si « décharnés et pâles, aux
yeux alourdis par l'étude. » Ma douce miséricorde me contraint de ne
considérer que deux éléments parmi la vingtaine qui peuvent faire ou
défaire votre vie, qui peuvent contribuer à votre succès ou vous aider les
jours où vous ferez face à l'échec.

[*] Discours d'adieu, Université de Pennsylvanie, le 1er mai 1889
[**] *La République*, Livre X.

1

SIR WILLIAM OSLER : PETITE ANTHOLOGIE

Tout d'abord, chez le médecin ou le chirurgien, aucune qualité n'égale celle de l'imperturbabilité et je me propose, pendant quelques minutes, d'attirer votre attention sur cette vertu physique essentielle. Peut être serai je capable de donner, à ceux d'entre vous qui n'ont pas développé cette qualité au cours des scènes critiques du mois dernier, une idée ou deux de son importance et de suggérer une façon de l'acquérir. L'imperturbabilité, c'est la froideur et la présence d'esprit en toutes circonstances, le calme durant la tempête, la clarté de jugement dans les moments de grand danger, l'immobilité, l'impassibilité ou, pour employer un terme ancien, le *flegme*. C'est la qualité qui est la mieux appréciée par le profane, bien qu'il ne la comprenne pas toujours. Le médecin qui a le malheur de ne point la posséder, qui trahit son indécision et son inquiétude, et qui se montre déconcerté ou bouleversé dans les urgences, perd vite la confiance de ses patients.

Comme on l'observe chez certains de nos collègues plus âgés, à son summum, elle est comme un cadeau des dieux, une bénédiction pour celui qui la possède, un réconfort pour tous ceux qui s'en approchent. Vous devriez bien la connaître car vous en avez vu depuis des années des exemples saisissants qui, je l'espère, vous ont marqués. Comme l'imperturbabilité est surtout un don physique, je regrette de vous dire qu'il peut y en avoir parmi vous qui, en raison de tares congénitales, ne seront jamais capables de l'acquérir. L'éducation, toutefois, peut beaucoup aider et, avec de la pratique et de l'expérience, la majorité d'entre vous peut s'attendre à en acquérir une bonne dose. La première chose essentielle est de bien maîtriser vos nerfs. Même dans les circonstances les plus graves, le médecin ou le chirurgien qui laisse « ses agissements extérieurs révéler l'image et le geste inné de son cœur », qui laisse transparaître sur son visage le moindre changement révélateur d'anxiété ou de peur, celui là ne contrôle pas adéquatement ses centres médullaires et peut à tout moment sombrer dans le désastre. Je vous en ai parlé à maintes reprises et je vous ai incités à éduquer vos centres nerveux de façon à ne pas laisser le moindre influx de contraction ou de dilatation atteindre les vaisseaux de votre visage lors d'une dure épreuve professionnelle. Loin de moi l'idée de vous encourager, avant que le dieu Temps n'ait ciselé à ses heures les justes traits du visage, à refréner en toute occasion la rougeur de la pudeur ingénue mais elle ne devrait sûrement pas se manifester en présence des urgences de vos patients et, en d'autres circonstances, un visage impénétrable peut valoir son pesant d'or. Dans sa forme véritable et parfaite, l'imperturbabilité est indissolublement liée à une vaste expérience et à une vaste connaissance des divers aspects de la maladie. Avec de tels avantages, le médecin est équipé pour qu'aucune éventualité ne puisse venir troubler son équilibre mental; les possibilités sont toujours évidentes et la voie à suivre, claire et nette. De par sa nature même, cette précieuse qualité est susceptible d'être mal interprétée et les accusations de dureté que l'on fait souvent à l'égard de la profession y trouvent là leur fondement. Or, une certaine mesure d'insensibilité n'est pas seulement un avantage mais également une nécessité qui permet d'exercer un jugement sûr et de mener à bien des interventions délicates. Une vive sensibilité est sans aucun doute une grande vertu mais en autant qu'elle n'interfère pas avec la sûreté du geste et le sang froid. Cependant, dans la vie quotidienne du praticien, une certaine froideur axée sur le bien à faire et qui va de l'avant sans égard aux considérations mineures est la qualité à privilégier.

Cultivez donc, messieurs[1], une sage mesure d'esprit tranchant qui vous permettra de répondre aux exigences de votre profession avec fermeté et courage, sans pour cela endurcir en même temps « le coeur humain qui nous fait vivre. »

En deuxième lieu, il existe un équivalent mental à ce don physique qui, dans notre pèlerinage, est tout aussi important que l'imperturbabilité. Laissez moi vous rappeler l'incident qu'on relate à propos d'Antonin le Pieux, le meilleur des hommes et le plus sage des chefs d'état, qui, alors qu'il était à l'article de la mort dans sa demeure de Lorium en Étrurie, résuma la philosophie de la vie par ce mot d'ordre, *Aequanimitas*. Tout comme pour Antonin qui était sur le point de traverser *flammantia moenia mundi* (les remparts embrasés du monde), la sérénité est une attitude qui est aussi souhaitable pour vous, fraîchement sortis de la quenouille de Clotho. Bien difficile, et pourtant bien nécessaire, est il de l'atteindre, dans le succès comme dans l'échec! Son acquisition dépend en grande partie d'une prédisposition naturelle, mais une parfaite connaissance de la vie et de nos rapports avec nos semblables est aussi indispensable. L'une des conditions essentielles pour acquérir la sérénité est de ne pas trop attendre des gens parmi lesquels vous vivez. « Le savoir vient, mais la sagesse demeure » et, en matière médicale, le citoyen ordinaire d'aujourd'hui n'a pas plus de bon sens que les anciens Romains que Lucien de Samosate semonçait pour leur crédulité qui en faisait la proie facile des charlatans de l'époque, tel le célèbre Alexandre dont les exploits font souhaiter qu'il soit né dix huit siècles plus tard. Traitez donc avec gentillesse cette vieille et délicieusement crédule nature humaine avec laquelle nous oeuvrons et ne vous indignez pas trop quand vous constatez que votre pasteur favori garde dans la poche de son gilet des triturats en dilution millésimale[2] ou que vous découvrez par accident une caisse de Warner's Safe Cure dans la chambre de votre meilleur patient. Il est nécessaire que de tels affronts se produisent; attendez vous à un pareil comportement et n'en soyez pas vexés.

Nos semblables sont de curieux et bizarres assemblages dont vous serez à la merci. Ils sont pleins de manies et d'excentricités, de toquades et de caprices mais, plus nous étudions de près les petits points faibles de toutes sortes de leur vie intime, plus nous nous rendons compte que leurs faiblesses ressemblent aux nôtres. La similitude serait intolérable si un heureux narcissisme ne nous la faisait souvent oublier. Il nous faut donc avoir une infinie patience et une délicate charité pour nos semblables. N'ont ils pas à faire preuve des mêmes qualités envers nous?

Un aspect troublant de la vie que vous allez entreprendre, un aspect qui affectera les meilleurs esprits parmi vous et qui troublera leur sérénité est l'incertitude qui a trait, non seulement à notre science et à notre art, mais aussi aux espoirs et aux craintes mêmes qui font de nous des hommes. En cherchant la vérité absolue, nous visons l'inaccessible et nous devons nous satisfaire de n'en trouver que des bribes. Vous vous souvenez, dans l'histoire égyptienne, ce que Typhon et ses conspirateurs firent du bon Osiris. Ils enlevèrent la vierge Vérité, taillèrent son corps ravissant en mille morceaux qu'ils dispersèrent aux quatre vents et, comme le dit Milton, « depuis ce temps toujours, les malheureux amis de la vérité, tel Isis à la recherche du corps mutilé d'Osiris, vont ici et là en ramasser les membres un à un tant qu'ils peuvent en trouver. Nous ne les avons pas encore tous trouvés. »[*] Cependant, chacun de nous peut en cueillir un fragment, peut être deux, et, dans les moments où la mortalité exerce moins de poids sur l'esprit, nous pouvons, comme dans une apparition, déceler la forme divine, de la même façon qu'un grand naturaliste, comme Owen ou Leidy, peut reconstituer une créature idéale à partir d'un

---

[*] *Areopagitica.*

fragment de fossile.

On a dit que, tant que nous jouissons de la prospérité, notre sérénité nous permet surtout de supporter, sans perdre contenance, les malheurs de nos voisins. Et, alors que rien ne trouble autant notre placidité mentale que des ressources plus ou moins ajustées à nos besoins et le manque de ces choses que convoitent les Gentils, je voudrais vous prévenir contre les épreuves de ce jour qui se présentera bientôt à vous—le jour où vous aurez un cabinet vaste et prospère. Absorbé jour et nuit par les préoccupations professionnelles, recevant d'une main et donnant de l'autre, vous gaspillerez peut être tellement vos capacités que vous vous apercevrez, trop tard, le coeur lourd, qu'il n'y a plus de place dans votre âme, marquée par l'habitude, pour ces plus charmantes influences qui font que la vie vaut la peine d'être vécue.

Il est triste de penser que la vie réserve à certains d'entre vous des déceptions, peut être des échecs. Vous ne pouvez évidemment espérer échapper aux préoccupations et aux angoisses inhérentes à la vie professionnelle. Sachez tenir tête avec courage à tout, même au pire. Il se peut que vos espoirs mêmes se soient dérobés à vos yeux, comme ce fut le cas pour le Patriarche au gué de la rivière Jabbok et que, comme lui, vous soyez laissés seuls à lutter dans la nuit. Bien fait pour vous si vous continuez à lutter, car la victoire est le fruit de la persistance et, au matin, peut venir la bénédiction souhaitée. Mais ce n'est pas toujours le cas; certains d'entre vous devront affronter la défaite et il vous sera alors utile d'avoir cultivé une joyeuse sérénité. Souvenez vous aussi que parfois, « ce n'est qu'à partir de notre désolation que commence une vie meilleure.» Même quand le désastre est proche et la ruine imminente, il vaut mieux les affronter avec le sourire et la tête haute que de s'accroupir à leur approche. Et, si vous vous battez pour des questions de principes et de justice, même quand l'échec semble certain, là où plusieurs ont échoué auparavant, accrochez vous à votre idéal et, comme le chevalier Roland devant la tour noire, portez à vos lèvres le cor, sonnez le défi et attendez calmement le combat.

On a dit que « par la patience vous gagnerez votre âme ». Or, que faut il entendre par « patience » si ce n'est une sérénité qui vous permet de vous élever au dessus des épreuves de la vie? Si vous semez près de toutes les

bonnes eaux, je ne peux que souhaiter vous voir récolter pour toujours la
grâce promise de quiétude et d'assurance jusqu'à ce que

Dans cette vie,

Mais élevés au-dessus des conflits,

vous puissiez, quand arriveront les hivers, glaner un peu de cette sagesse
pure, paisible, douce, remplie de miséricorde et de bons fruits, sans
partialité et sans hypocrisie.

Le passé nous suit toujours, on ne peut y échapper; il est seul à
persister; mais, parmi les changements et les hasards qui se succèdent avec
une rapidité folle au cours de la vie, nous avons trop tendance à vivre pour
le présent et l'avenir. En une occasion comme celle d'aujourd'hui, alors que
notre *Alma Mater* est en fête et que nous nous réjouissons de sa prospérité
croissante, il est bon de retourner aux jours anciens et de nous remémorer
avec gratitude les hommes dont le labeur passé a rendu le présent possible.

La grande richesse d'une université réside dans ses grands noms. Ce ne
sont pas « la fierté, la pompe et les particularités » d'un établissement qui
lui apportent l'honneur, ni sa richesse matérielle, ni le nombre de ses
écoles, ni les étudiants qui emplissent ses salles, mais les *hommes* qui par
leur labeur, parfois même dans un climat hostile, ont parcouru à son
service le chemin épineux qui mène à la demeure sereine de la Renommée,
grimpant « comme des étoiles à leur hauteur assignée.» Ce sont eux qui
nous apportent la gloire, et le coeur de tout ancien étudiant de cette école,
de tout professeur de cette faculté doit vibrer, comme le mien, de respect et
de gratitude, en se rappelant les noms des membres fondateurs tels
Morgan, Shippen et Rush et de ceux qui leur ont succédé comme Wistar,
Physick, Barton et Wood.

Messieurs de la Faculté—*Noblesse oblige.*

La triste réalité du passé nous rappelle cependant aujourd'hui, comme
si c'était hier, la peine d'avoir perdu des amis et des collègues, « enfouis
dans la nuit sans fin de la mort.» Nous regrettons l'absence d'un de vos
professeurs les mieux connus, quelqu'un dont vous avez apprécié les cours
et dont l'exemple en a stimulé plusieurs. Professeur appliqué, travailleur
infatigable, fils loyal de notre Université, ami au grand coeur, Edward
Bruen a laissé derrière lui, non seulement le regret d'une carrière
prématurément interrompue mais aussi le souvenir d'une vie bien remplie.

Nous pleurons aussi aujourd'hui, avec l'un de nos collèges, la lourde perte subie lors du décès de l'un de ses plus distingués professeurs, un homme qui a porté avec honneur un nom honorable et qui a ajouté du lustre à la profession dans notre ville. On n'oublie pas facilement les hommes comme Samuel W. Cross. Soyons reconnaissants d'avoir pu profiter de l'exemple de son courage, un courage qui savait se battre et gagner; et essayons de rivaliser avec le zèle, l'énergie et le savoir faire qui ont caractérisé sa carrière.

Personnellement, je pleure la perte d'un précepteur que j'ai aimé comme un père, un homme qui, plus que tout autre, m'a inspiré et grâce à l'exemple et à l'enseignement duquel je dois le poste qui me permet de vous adresser la parole aujourd'hui. Il y en a, ici présents, qui ne trouveront pas que j'exagère quand j'affirme que le fait de connaître Palmer Howard[3] était, dans le plus profond et le plus vrai sens du mot, une éducation libérale en soi–

> Peu importe ce que mes jours deviennent,
> J'ai senti et je sens, bien que solitaire,
> Son être qui m'habite et erre,
> Les pas de sa vie sur la mienne.

Pendant que je vous prêche ainsi une doctrine de sérénité, je suis moi même un hors la loi. En ignorant mes propres conseils, j'illustre bien l'inconsistance qui nous assaille si facilement. On aurait pu penser que, dans la première école d'Amérique, dans cette *Civitas Hippocratica*, avec des associations si chères à un amant de la profession, des collègues si distingués et des étudiants si pleins d'égards, on aurait pu penser, dis je, que l'ambition d'un homme aurait atteint ici ses colonnes d'Hercule. Mais il n'en est pas ainsi et, aujourd'hui, je romps mes liens avec l'Université. Plus d'une fois, messieurs, dans une vie riche des bienfaits de l'amitié, j'ai été placé dans des situations où les mots ne suffisaient pas à exprimer les sentiments de mon coeur, et c'est le cas aujourd'hui. Les plus vifs sentiments de reconnaissance montent du plus profond de mon être à la pensée de la bienveillance et de la bonté qui m'ont suivi pas à pas au cours des cinq dernières années. Moi, un homme d'ailleurs—je n'ose dire un étranger—vous m'avez fait me sentir chez moi; vous n'auriez pas pu en faire plus. Que puis je dire encore? Quoi que l'avenir puisse me réserver de succès ou d'épreuves, rien ne pourra effacer le souvenir des jours heureux que j'ai vécus ici dans cette ville et rien ne pourra me faire oublier la fierté que j'ai toujours ressentie d'avoir été associé, ne fût ce que pour un temps, à un corps professoral aussi remarquable par le passé et aussi éminent aujourd'hui que celui dont je me sépare maintenant. Messieurs—Adieu! et apportez avec vous dans la lutte le mot d'ordre de ce bon vieux Romain—*Aequanimitas*.

---

[1] En 1889, il n'y avait pas d'étudiantes en médecine à l'Université de Pennsylvanie, et très peu ailleurs, quoique la nouvelle école Johns Hopkins où enseignait Osler en accepterait bientôt—avec réticence, sous l'influence de pressions d'ordre fiscal. Pour de plus amples commentaires, voir ses remarques plus loin dans *La croissance d'une profession*. Le comportement d'Osler à ce sujet demeure équivoque et mériterait une étude plus approfondie, soit d'un historien, soit d'un médecin ou d'un étudiant intéressé à l'histoire. (C.G.R.)

[2] Allusion à l'homéopathie, école sectaire de la médecine, très répandue à l'époque, qui enseignait, entre autres choses, l'efficacité de doses infinitésimales. (C.G.R.)

[3] Son professeur et ami, doyen à McGill. (C.G.R.)

La période fixe*

Le « Discours d'adieu à l'Université Johns Hopkins » a d'abord paru dans le *Journal of the American Medical Association* (vol. 44, pages 705-710, 1905) puis de nouveau, sous le titre de « The Fixed Period », dans la seconde édition d'*Aequanimitas* (Londres, H.K. Lewis; et Philadelphie, P. Blakiston's Sons & Co., 1906).

COMME c'est la dernière cérémonie publique à laquelle j'assisterai en tant que membre de l'Université, je saisis avec empressement l'occasion qu'elle m'offre d'exprimer les sentiments à la fois de gratitude et de tristesse qui me viennent tout naturellement à l'esprit—gratitude envers vous tous pour seize années de vie exceptionnellement heureuse, tristesse de ne plus désormais être des vôtres. Comme je ne suis ni accablé par le poids des ans, ni sérieusement atteint de maladie, vous devez vous questionner sur les motifs qui m'ont incité à abandonner un poste d'une telle influence et d'une telle importance, à me séparer de collègues si sympathiques, de collaborateurs et d'étudiants si dévoués et à quitter un pays où j'ai tant d'amis chaleureux et où j'ai été apprécié beaucoup plus que je ne le valais vraiment. Il est préférable que vous en restiez au stade de l'étonnement. Qui peut comprendre les motifs d'autrui? Les comprend il toujours lui même? Voici ce que je peux apporter comme explication—et non comme excuse. Après des années d'un dur labeur, au moment où les énergies d'un homme commencent à flancher et où il sent le besoin d'avoir plus de loisirs, à ce moment là même, les conditions et les circonstances qui ont fait de cet homme ce qu'il est et qui ont façonné son caractère et ses capacités en quelque chose d'utile à la communauté—ces circonstances mêmes exercent sur lui une pression croissante; et quand vient l'appel de l'Orient,

* Université Johns Hopkins, le 22 février 1905

9

un appel qui se fait entendre à chacun de nous d'une façon ou d'une autre et qui devient de plus en plus fort à mesure que nous vieillissons, c'est comme la sommation de Dieu à Élie; alors, on délaisse non seulement le labeur quotidien, mais aussi l'oeuvre d'une vie, les amis, les membres de la famille, père et mère même, pour entreprendre un travail nouveau dans un domaine nouveau. C'est encore mieux, comme ce fut le cas pour Puran Das dans Kipling, quand l'appel vient non pas pour vaquer à de nouvelles tâches mais pour adopter une vie « intime, oisive, calme, contemplative. »

Mon départ porte à croire qu'il existe de nombreux problèmes reliés à la vie universitaire. On peut se demander d'abord si le métabolisme du corps professoral est suffisamment actif. Y a t il assez de changements? La perte d'un professeur ne peut elle pas apporter des avantages stimulants à une université? Nous n'en avons pas perdu beaucoup—ce n'est pas une université que l'on souhaite quitter—mais en jetant un coup d'oeil sur l'histoire de l'université, je ne vois pas que le départ de quiconque ait été un dur coup. Il est étrange de constater jusqu'à quel point une unité compte peu dans un vaste système. Un homme peut avoir mis sur pied tout un département et s'être créé une suite de disciples; plus encore, il peut avoir eu une valeur particulière à cause de certaines qualités mentales et morales, et son départ peut laisser une cicatrice, une cicatrice douloureuse même, mais pas pour longtemps. Ceux de nous qui sont habitués au processus savent que l'organisme dans son ensemble ne s'en ressent pas plus qu'un polyzoaire quand une colonie s'en détache ou qu'une ruche d'abeilles après le départ d'un essaim—ce n'est sûrement pas toujours une calamité et bien souvent, c'est un soulagement. Évidemment, le sentiment d'une perte personnelle s'abat durement sur quelques-uns; chez la plupart d'entre nous, la faculté de s'attacher à ses compagnons de travail est fort développée et certains pourront sentir l'amertume dans ces vers:

> Hélas, pourquoi faut il donc, pour notre douleur,
> que ce que nous aimions de lui ne fût qu'un leurre.

Mais, pour le professeur lui-même, ces départs font partie de la vie qu'il a choisie. Comme le héros d'un des poèmes de Matthew Arnold, il sait que son coeur n'est pas fait pour être « longtemps aimé ». Le changement est la moelle même de son existence—un nouveau groupe d'étudiants chaque année, un nouveau groupe d'assistants, une nouvelle équipe de collaborateurs après quelques années pour remplacer ceux qui sont appelés à d'autres champs d'activité; dans tout département actif, il n'existe pas de constance, de stabilité de l'entourage humain. Et il y a là un élément de tristesse. Un homme est présent dans la vie de quelqu'un pendant quelques années, vous vous attachez à lui, vous vous intéressez à son travail et à son bien être et vous en viendrez peut être à l'aimer, comme un fils, et hop! il s'en va!—vous laissant le coeur meurtri.

On peut poser la question à savoir si, comme professeurs, nous ne restons pas trop longtemps au même endroit. Cela me dépasse d'essayer d'expliquer comment de bons hommes, par ailleurs aimables et corrects, ont le courage de conserver le même poste pendant vingt cinq ans! Chez un homme à l'esprit actif, un trop long attachement à un même poste peut engendrer la suffisance, rétrécir le champ de vision, encourager l'esprit de clocher et provoquer la sénilité. Une grande part du succès de cette université vient d'avoir su rassembler un groupe d'intellectuels, mobiles comme la cavalerie légère, sans attaches locales, dont le fonctionnement n'était pas restreint, dont l'allégeance même n'était pas toujours nationale, mais qui pourtant étaient prêts à servir fidèlement dans tout champ d'action où ils se trouvaient. C'est cela qui devrait être l'attitude d'un professorat vigilant. Comme saint Paul qui préférait un évangélisateur sans attaches parce qu'il était plus libre pour le travail, de même, dans l'intérêt général d'un meilleur enseignement, le président d'une université devrait savoir apprécier que les membres de ses facultés fassent preuve d'un esprit nomade de bon aloi, même si, à l'occasion, cela peut sembler préjudiciable. Un bon conseil d'administration pourrait organiser une rotation de professeurs qui serait fort stimulante sur toute la ligne. Nous sommes sujets à nous atrophier et à nous émacier mentalement si l'on nous garde trop longtemps dans le même pâturage. Transporté dans des champs nouveaux, au sein d'un nouvel entourage et d'autres collègues, un homme reçoit comme un coup de fouet dont l'effet peut durer de longues années. L'échange de professeurs, à l'échelle nationale et internationale, peut s'avérer fort utile. Rappelons nous, par exemple, jusqu'à quel point les conférences Turnbull ont été stimulantes. Ce serait une excellente initiative pour l'Association des Universités, qui s'est réunie ici récemment, d'organiser un tel échange de professeurs. Il pourrait même être bon pour la trésorerie de « troquer » de temps à autre des présidents de collège. La mutation, cette année, du professeur Keutgen de Jena pour donner des cours en histoire est un excellent exemple de ce que peut valoir un tel plan. Pour faciliter le travail, on pourrait organiser un centre universitaire de redistribution à l'échelle internationale. Comme il serait agréable de revenir à la tradition médiévale des professeurs qui sillonnaient l'Europe à leur guise ou aux jours halcyoniens des anciens maîtres grecs que chante Empédocle :

> Ô quels jours étaient ceux-là, Parménide!
> Quand nous étions jeunes, que nous avions des amis
> Dans toutes les villes d'Italie;
> Quand, le cœur joyeux, nous joignions votre suite
> Vous, Vierges filles du Soleil, sur la route de la vérité.

C'est en particulier aux plus jeunes que je voudrais faire valoir les avantages d'un attachement précoce à une philosophie itinérante de la vie. Dès que vous aurez vos deuxièmes dents, songez à un changement; quittez la nourrice, coupez les cordons du tablier de vos anciens professeurs, recherchez de nouveaux liens dans un nouvel environnement, là où, si possible, vous pourrez jouir d'une certaine liberté et d'une certaine indépendance. Toutefois, n'attendez pas un poste aussi bien installé que celui de votre maître. Un poste modeste, avec peu de personnel, beaucoup d'étudiants, peu propice à la recherche, peut justement être ce qu'il faut pour faire ressortir le génie—latent et possiblement non reconnu—qui vous permettra de bien faire, dans des circonstances difficiles, ce qu'un autre ne pourrait pas faire du tout, même dans de meilleures circonstances. Il y a deux maladies effroyables que seule une nervosité féline du corps et de l'esprit peut combattre chez les jeunes gens engagés dans une carrière académique. Il y a une condition physique appelée infantilisme qui fait que l'adolescence n'arrive pas au moment attendu ou est retardée jusqu'à la vingtième année ou plus et demeure incomplète, si bien que l'esprit, la stature et les traits de l'enfant persistent. Sa contrepartie mentale est encore plus répandue parmi nous. L'infantilisme intellectuel est une maladie bien connue et, tout comme une alimentation incomplète peut freiner les merveilleux changements physiques de la puberté, un esprit trop longtemps soumis à la même diète dans le même milieu peut devenir rachitique ou même infantile. Pire encore peut arriver. Une condition physique rare, mais encore plus extraordinaire, est la progérie qui fait que l'enfant, comme touché par la baguette magique de quelque méchante fée, ne reste pas au stade infantile, saute l'adolescence, la maturité et l'âge viril pour passer aussitôt à la sénilité et ressemble ainsi, à onze ou douze ans, à un Tithonus miniature, « gâché et gaspillé », ridé et rabougri, un petit vieillard au milieu de ses jouets. Vivre sa vie mentale au rythme des phases que traverse le corps demande une grande attention. Combien peu d'esprits atteignent la puberté, combien peu arrivent à l'adolescence, combien moins encore accèdent à la maturité! Cette prévalence largement répandue de l'infantilisme mental dû à de mauvaises habitudes alimentaires intellectuelles est vraiment tragique. La progérie est une maladie affreuse dans un collège. Peu de facultés s'en sortent sans un cas ou deux et il y a des diètes qui la provoquent tout aussi sûrement qu'il y a des eaux dans certaines vallées de la Suisse qui causent le crétinisme. J'ai connu une faculté entière qui en était victime. Le vieillard précoce est en soi un assez brave type à regarder et avec qui s'amuser, mais il est stérile, ses horizons mentaux sont rétrécis et il est bien incapable d'assimiler les idées nouvelles de son temps et de sa génération.

Comme dans le cas de beaucoup d'autres maladies, il est plus facile de la prévenir que de la guérir. Si elle est prise à temps, un changement d'air et de régime peut contribuer à bloquer une tendance innée ou acquise. Les premières manifestations peuvent être soulagées par un séjour prolongé aux Bains universitaires de Berlin ou de Leipzig ou en changeant, au bon moment, la diète américaine ou anglicane du jeune homme en une diète gauloise ou teutonne. Par la faute, non pas des hommes, mais du système, dû au fait que les confessions religieuses croient à tort qu'elles doivent avoir leurs propres institutions d'enseignement dans chaque état, l'infantilisme collégial est beaucoup trop répandu. Heureusement, l'air plus libre et le régime plus approprié des universités d'état, toujours fort bien équipées, s'avèrent un antidote aussi rapide que rationnel.

Je ne limiterais pas non plus ce désir de changement aux professeurs. L'étudiant de l'école technique devrait commencer tôt ses *wanderjahre* et ne pas les reporter après l'obtention de son M.D. ou Ph.D. Une résidence de quatre années dans une même école ne peut que causer du tort et provoquer un astigmatisme mental que les années subséquentes ne pourront peut être jamais corriger. Une des grandes difficultés vient du manque d'harmonie dans les programmes des écoles mais le temps corrigera cela et, une fois initiés et encouragés, les meilleurs étudiants passeront un an, ou même deux, dans des écoles autres que celle où ils ont l'intention de décrocher leur diplôme.

Je vais être très audacieux et aborder un autre sujet plutôt délicat, mais infiniment important dans la vie universitaire, un sujet qui n'a pas été réglé dans ce pays. Je veux parler d'une période fixe pour un professeur qui serait reliée soit à l'exercice de ses fonctions, soit à son âge. À part quelques écoles privées, je ne connais pas d'établissement où il y a une limite de temps, disons vingt ans de service, comme dans certains hôpitaux de Londres, où on engage une personne pour un certain nombre d'années. Habituellement la nomination se fait *ad vitam aut culpam*, comme le dit le vieux dicton. Le fait que tous les professeurs vieillissent en même temps est un problème très sérieux dans nos jeunes universités. En certains endroits, seule une épidémie ou une limite de temps ou d'âge peut sauver la situation. J'ai deux idées fixes à ce sujet que connaissent bien mes amis, des obsessions inoffensives avec lesquelles je les ennuie à l'occasion, mais qui ont un rapport direct avec cet important problème. La première a trait à l'inutilité relative des hommes de plus de quarante ans. Cela peut sembler choquant mais pourtant, si on la lit bien, l'histoire du monde corrobore cette affirmation. Prenez l'ensemble des réalisations humaines en initiatives, en science, en art, en littérature. Si vous en soustrayiez la contribution des plus de 40 ans, nous perdrions évidemment de précieux trésors, même des trésors sans prix, mais nous serions pratiquement au point où nous en sommes aujourd'hui. Il est difficile de nommer une conquête de l'esprit, importante et de longue portée, qui n'ait pas été donnée au monde par un homme sur le dos duquel le soleil brillait encore. Le travail efficace, poignant, vivifiant dans le monde se fait entre l'âge de vingt cinq et quarante ans—quinze précieuses années d'abondance, la période anabolique ou constructive, pendant laquelle la banque mentale montre toujours un solde favorable et le crédit est encore bon. Dans l'art et la science de la médecine, ce sont les hommes jeunes ou relativement jeunes qui ont contribué à tous les développements de premier plan. Vésale, Harvey, Hunter, Bichat, Laennec, Virchow, Lister, Koch—tous étaient dans leurs vertes années au moment de leurs découvertes magistrales. Pour adapter un vieux dicton, un homme est sain moralement à trente ans, riche mentalement à quarante ans et sage spirituellement à cinquante ans—ou jamais. On devrait encourager les jeunes gens et leur donner toute les chances possibles de montrer ce qu'ils ont en eux. S'il y a une chose pour laquelle on doit féliciter les professeurs de cette université, c'est bien pour la compréhension et l'esprit de camaraderie dont ils font preuve envers leurs jeunes collaborateurs sur qui, dans maints départements, dans le mien en tout cas, repose le plus gros du travail. Et voilà justement la grande valeur d'un enseignant qui, ayant franchi l'étape du climatère et n'étant plus un facteur productif, peut jouer le rôle de sage femme masculin, comme Socrate le fit pour Théétète, et déterminer si les pensées dont accouchent les jeunes sont de fausses idoles ou de vraies et nobles naissances.

Ma seconde idée fixe a trait à l'inutilité des hommes de plus de soixante ans et au bénéfice incalculable qu'on retirerait commercialement, politiquement et professionnellement si, tout naturellement, les hommes arrêtaient de travailler à cet âge. Dans son *Biathanatos*, Donne nous raconte que, selon les lois de certains sages états, les sexagénaires étaient précipités du haut d'un pont et qu'à Rome, les hommes de cet âge n'étaient pas admis au suffrage, qu'on les appelait *Depontani* vu que le chemin pour se rendre au sénat se faisait *per pontem* et qu'ils n'avaient pas le droit d'y accéder en raison de leur âge. Dans son amusant roman *The Fixed Period*, Anthony Trollope discute des avantages pour la vie moderne de revenir à une telle pratique et l'intrigue se passe dans un collège où la tradition veut qu'à soixante ans, on se retire pour une année de contemplation suivie d'un départ paisible grâce au chloroforme.[1] Les avantages incalculables d'un tel système apparaîtront évidents à quiconque approche, comme moi, cette limite et a fait une étude approfondie des calamités qui peuvent s'abattre sur les hommes au cours de leurs septième et huitième décennies. Plus encore, quand on pense aux maux nombreux qu'ils perpétuent inconsciemment et en toute impunité. Tout comme on peut soutenir que tous les grands progrès sont venus d'hommes de moins de quarante ans, l'histoire montre également qu'une très grande proportion des maux de ce monde peuvent être imputés aux sexagénaires—presque toutes les grandes erreurs politiques et sociales, tous les pires poèmes, la plupart des mauvais tableaux, la majorité des mauvais romans, un bon nombre des mauvais sermons et discours. On ne peut nier qu'à l'occasion, il y ait un sexagénaire dont l'esprit, comme le fait remarquer Cicéron, se tient hors d'atteinte de la décrépitude du corps. Celui là a appris le secret d'Hermippus, cet ancien Romain qui, voyant se relâcher le cordon d'argent, délaissa les compagnons de son âge pour se joindre aux jeunes gens, se mêlant à leurs jeux et à leurs études, et vécut ainsi jusqu'à l'âge de 153 ans, *puerorum halitu refocillatus et educatus*.[2] Et il y a du vrai dans cette histoire, puisque ce ne sont que ceux qui vivent avec les jeunes qui conservent une vision neuve des problèmes nouveaux de ce monde. La vie du professeur devrait se diviser en trois périodes : les études jusqu'à vingt cinq ans, la recherche jusqu'à quarante ans et la profession jusqu'à soixante ans. C'est à ce moment là que je lui ferais prendre sa retraite avec double allocation. À savoir maintenant si on devrait adopter ou non la suggestion d'Anthony Trollope à propos du collège et du chloroforme, j'en suis venu à en douter quelque peu car je n'ai plus moi même autant de temps que j'en avais. (Je peux dire, pour le bénéfice du public, que, pour une femme, je proposerais un tout autre plan puisque après soixante ans, son influence sur les personnes de son sexe peut être utile, surtout si elle est agrémentée par des accessoires aussi charmants qu'un bonnet et un fichu.)

II

L'occasion qui m'est offerte aujourd'hui me permet de dire quelques mots du travail qu'ont fait et que peuvent encore faire pour la médecine les fondations Johns Hopkins. L'hôpital a été organisé à une période des plus propices alors que la profession s'éveillait enfin à ses responsabilités, que les universités les plus importantes commençaient à prendre au sérieux la formation médicale et que le public en général se faisait enfin une idée de l'importance d'une approche scientifique des maladies et des avantages d'avoir des médecins bien formés dans une communauté. Il aurait été facile de faire des erreurs monumentales avec ces grandes organisations. Il y a des exemples où des legs importants ont été stériles dès le départ; cependant, dans l'histoire des institutions d'enseignement, il est difficile d'en trouver une plus prolifique que l'Université Johns Hopkins. Plus qu'une simple ferme semencière, elle s'est révélée une pépinière qui a fourni au pays boutures, greffes, rejetons, semis, etc. Il serait superflu de rappeler ici le travail magnifique accompli en vingt cinq ans par les administrateurs et par monsieur Gilman; on ne tarit pas d'éloges à leur sujet dans tous les collèges. Mais il me faut rendre hommage aux sages qui ont planifié l'hôpital, qui ont refusé de créer un établissement selon la vieille tradition—un grand hospice urbain pour indigents—mais qui lui ont plutôt donné un lien organique vital avec une université. Je ne sais qui fut directement responsable de la clause du testament de monsieur Hopkins à l'effet que l'hôpital devait faire partie de l'école de médecine et constituer un établissement consacré tout aussi bien à l'étude qu'au traitement des maladies. On doit peut être en attribuer l'idée au fondateur lui même, mais j'ai toujours pensé que Francis T. King avait été le grand responsable parce qu'il nourrissait de fermes et sages convictions à ce sujet et consacra les dernières années de sa vie à leur réalisation. Comme premier Président du Conseil, il a naturellement été pour beaucoup dans la formulation des politiques de l'institution et c'est avec un véritable plaisir qu'on se rappelle le zèle et la sympathie avec lesquels il offrait toujours sa collaboration. Il est triste de constater qu'en si peu d'années, tous les membres du premier Conseil d'administration soient décédés. Le dernier, monsieur Corner, fidèle et intéressé jusqu'à la fin, nous a quittés il y a quelques semaines à peine. Ils ont accompli un travail extraordinaire pour cette ville et leurs noms devront toujours être gardés en mémoire. Les membres du personnel des premiers jours se souviendront en particulier avec gratitude du juge Dobbin et de James Carey Thomas pour le dévouement inlassable avec lequel ils ont réglé les problèmes que l'école de médecine éprouvait. C'est vers John S. Billings, pendant si longtemps l'excellent conseiller de l'administration, que nous nous tournions pour trouver conseil et son influence a été beaucoup plus grande qu'elle n'y paraissait. Quant à l'admirable plan d'études médicales préliminaires et à la conception du travail scientifique avant que l'hôpital n'ouvre ses portes aux patients, c'est à Newell Martin, Ira Remsen et W.H. Welch que nous les devons. L'excellent programme d'études actuel donnant accès à la médecine et dans lequel les classiques, la science et la littérature jouent un rôle prépondérant, est le résultat de leurs efforts.

Il y a maintenant environ seize ans, monsieur King, le Dr Billings, le Dr Wellch et moi même avons eu plusieurs conférences au sujet de l'ouverture de l'hôpital. J'avais été nommé le 1er janvier, mais je n'avais pas encore quitté Philadelphie. Comme il arrive si souvent, ce sont les dernières étapes qui sont les plus difficiles et, après quelques contretemps, toute l'affaire fut confiée à monsieur Gilman qui devint directeur intérimaire; quelques mois plus tard, tout était prêt et, le 7 mai, l'hôpital ouvrit ses portes. Je me souviens avec un plaisir tout particulier de mon association avec monsieur Gilman. Ce fut à la fois une formation et une révélation. Je n'avais jamais encore travaillé avec un homme qui aimait les difficultés pour le simple plaisir de les faire disparaître. Mais je ne parlerai pas de ces jours heureux pour ne rien dévoiler à l'avance du récit que j'ai écrit à propos des débuts de l'hôpital.

Au moment de l'établissement de l'hôpital, la profession au pays faisait face aux deux grands problèmes suivants : comment donner aux étudiants un enseignement convenable, en d'autres mots, comment leur donner la culture, la science et l'art appropriés à la dignité d'une éminente profession; et, comment amener un aussi grand et aussi riche pays à contribuer à la science de la médecine.

Les conditions dans lesquelles s'est ouverte l'école de médecine en 1893 sont uniques dans l'histoire de la médecine américaine. Il aurait été facile, à l'instar des meilleures écoles, de faire passer un examen d'admission garant d'une éducation ordinaire. Cependant, le généreux don de Mlle Garett nous permit de dire « non », nous ne voulons pas d'un grand nombre d'étudiants à moitié éduqués; nous préférons un groupe trié sur le volet, avec une formation dans les sciences préliminaires à la médecine et dans les langues les plus utiles au médecin moderne. Il s'agissait là d'une expérience et nous ne nous attendions pas à avoir plus de vingt cinq ou trente étudiants par année pendant au moins huit à dix ans. Comme c'est souvent le cas, le pays était mieux préparé que nous le croyions à répondre à nos conditions et le nombre d'admissions à l'école s'est accru jusqu'à ce que nous atteignions presque notre pleine capacité. L'exemple que nous avons créé en exigeant le cours préliminaire d'art ou de science pour l'admission à l'école a été suivi par Harvard et doit bientôt l'être par Columbia. Il n'est pas nécessaire que toutes les écoles adoptent cette mesure mais on constate partout un resserrement fort salutaire des exigences des examens d'admission. Avant que nous entreprenions notre travail, de vastes réformes avaient été amorcées au pays en matière d'enseignement scientifique en médecine. Partout, les travaux de laboratoire avaient jusqu'à un certain point remplacé les cours magistraux et des cours pratiques en physiologie, en pathologie et en pharmacologie avaient été organisés. Nous ne devons toutefois pas oublier que c'est à Newell Martin, le premier professeur de physiologie de notre université, que nous devons d'avoir mis en place des classes pratiques de biologie et de physiologie. La croissance rapide de l'école a bientôt nécessité la construction d'un bâtiment séparé pour la physiologie, la pharmacologie et la chimie physiologique et, dans ces départements, comme dans celui d'anatomie, l'équipement est aussi complet qu'on pourrait le souhaiter. En ce qui concerne les besoins en pathologie, en hygiène et en pathologie expérimentale, ce n'est pas le moment d'en parler ici. Qu'il suffise de dire que, pour l'enseignement des sciences sur lesquelles est fondé l'exercice de notre art, notre école est en tous points remarquable.

La rapidité avec laquelle l'enseignement scientifique dans nos écoles de médecine a atteint un haut niveau est l'un des éléments les plus remarquables en éducation au cours des vingt dernières années. Même dans les petits collèges moins bien dotés, on offre des cours admirables en bactériologie et en pathologie et, parfois même, dans le domaine plus difficile de la physiologie pratique. Cependant, les exigences et les besoins créés par ces cours spéciaux ont drainé à peu près toutes les ressources des écoles privées. Les dépenses occasionnées par le nouveau mode d'enseignement sont si élevées que tous les frais de scolarité sont absorbés par les laboratoires. Ceci a comme conséquence que les vieux collèges privés ne sont plus des entreprises rentables, certainement pas en tout cas dans le nord. Ils se voient donc forcés, et c'est pour le mieux, de s'affilier aux universités, étant donné qu'il n'est pas facile d'obtenir des fonds convenables de sociétés privées.

La grande difficulté se fait sentir dans la troisième partie de l'éducation de l'étudiant, c'est à dire son art. Autrefois, quand un jeune homme faisait son apprentissage auprès d'un praticien général, il avait de bonnes chances d'acquérir l'essentiel d'un art rudimentaire, mais immédiatement applicable, et le système produisait bon nombre de sujets autonomes et ingénieux. Puis, avec la multiplication des écoles de médecine et leur rivalité croissante, apparut le cours de deux ans qui, pendant un demi siècle, eut une influence néfaste sur la profession médicale en retardant son progrès, en comblant ses rangs de gens à moitié éduqués et en encourageant toutes sortes de charlataneries, hâbleries et fraudes dans le public. Le réveil devait se faire il y a une trentaine d'années, et aujourd'hui il n'existe guère d'écoles dans le pays qui n'offrent un cours de quatre ans et toutes s'efforcent de rompre les vieilles chaînes et d'enseigner de façon rationnelle une médecine rationnelle. Mais enseigner à un étudiant son Art présente des difficultés extraordinaires. Il n'est pas difficile, par exemple, de lui enseigner tout ce qu'il faut savoir au sujet de la maladie qu'est la pneumonie, comment elle prévaut en hiver et au printemps, le fait qu'elle a toujours été fatale, le microbe qui en est la cause, les changements que la maladie provoque dans les poumons et le cœur— il peut devenir érudit, très érudit sur le sujet— mais, mettez le en présence d'un cas et il ne saura peut être pas de quel poumon il s'agit, ni comment le trouver et, s'il vient à le trouver, il peut ne pas savoir s'il doit mettre un sac de glace ou un cataplasme du côté atteint, s'il doit pratiquer une saignée ou donner de l'opium, s'il doit administrer un médicament à toutes les heures ou pas du tout; il peut enfin ne pas avoir la moindre idée si les symptômes sont de mauvais augure ou favorables. Il en est ainsi d'autres aspects de l'art du praticien général. Un étudiant peut tout connaître au sujet des os du poignet, il peut même en traîner un exemplaire dans sa poche et en connaître chaque facette, chaque bosse et chaque nodule, il peut avoir disséqué une vingtaine de bras, et pourtant, quand il est appelé au chevet de Mme Jones qui est tombée sur la glace et s'est fracturé le poignet, il ne pourra peut être pas distinguer une fracture de Colles de celle de Pott et, quant à la réparer *secundum artem*, il peut ne pas avoir la moindre idée de ce qu'il faut faire, n'ayant jamais rencontré un tel cas. Il peut aussi être appelé à s'occuper d'une de ces effroyables tragédies familiales—l'urgence soudaine, quelque terrible accident lors de l'accouchement ou chez l'enfant, qui requiert savoir faire, compétence technique, courage—le courage que donne le vrai savoir—et s'il n'a pas fréquenté les salles d'obstétrique, s'il n'a pas reçu de formation pratique, s'il n'a pas eu les occasions auxquelles tout étudiant en médecine a droit, il peut échouer au moment critique. Une vie, deux vies peuvent être perdues, sacrifiées à l'ignorance, une ignorance souvent impuissante et involontaire. La plus grande réalisation de l'Hôpital Johns Hopkins a été de loin de démontrer à la profession médicale des États Unis et au public de ce pays comment les étudiants en médecine devaient être instruits de leur art. Je place cette réalisation en premier lieu parce que c'était la leçon qui était la plus nécessaire; je la place en premier lieu parce que c'est l'exemple stimulant qui a fait le plus grand bien. Je la place enfin en premier lieu parce que, jamais auparavant dans l'histoire de ce pays, des étudiants en médecine n'avaient vécu et travaillé dans un hôpital en faisant partie intégrante de sa machinerie et en participant pleinement au travail dans les salles de malades. En disant cela, Dieu me garde de paraître dénigrer indirectement le bon et fidèle travail de mes collègues d'ailleurs. Mais la clinique dans un amphithéâtre, les classes dans les salles de malades et les dispensaires ne sont que de piètres substituts à un système qui demande à l'étudiant en médecine de participer aux activités de l'hôpital en faisant partie de sa machinerie humaine. Il ne voit pas le cas de pneumonie à partir des bancs de l'amphithéâtre mais il le suit au jour le jour, d'heure en heure; son temps est structuré de façon à pouvoir suivre la progression de la maladie; il voit et étudie d'autres cas semblables et la maladie elle même devient son principal professeur; il en connaît les phases et les variations comme elles apparaissent chez l'être vivant; il apprend, sous une direction éclairée, quand agir et quand s'abstenir; il apprend, sans presque s'en apercevoir, les principes de la pratique et il évite possiblement cette mentalité de « machine distributrice à sous » qui a toujours été la malédiction du médecin dans le traitement des maladies. Il en est de même des autres aspects de son art; il apprend par expérience personnelle ce qui, s'il a le moindrement de bon sens, en fera un homme averti pour le plus grand salut de ses semblables. Et tout cela s'est produit parce qu'on a sagement décidé que l'hôpital devait faire partie de l'école de médecine et qu'il est devenu le collège des étudiants de niveau supérieur, comme cela devrait être. En outre, les étudiants n'y sont pas simplement tolérés ou admis par la porte de côté; ils sont accueillis comme des coopérants importants sans qui le travail ne pourrait se faire efficacement. Toute la question de l'éducation pratique de l'étudiant en médecine en est une qui intéresse au plus haut point le public. Des médecins et chirurgiens, sensés et intelligents, possédant culture, science et art, valent leur pesant d'or pour une communauté et valent la peine qu'on contribue généreusement au financement de nos écoles de médecine et de nos hôpitaux. Personnellement, rien ne me rend plus fier que de m'être investi dans l'organisation de la clinique médicale de l'Hôpital Johns Hopkins et dans l'introduction des bonnes vieilles méthodes d'enseignement pratique. Je ne désire d'autre épitaphe—et il va sans dire que je ne suis pas pressé—que celle signalant que j'ai enseigné aux étudiants en médecine dans les salles de malades. Je considère cela comme le travail le plus utile et le plus important que j'ai été appelé à faire.

Le second grand problème en est un bien plus difficile car il est entouré d'obstacles inextricables liés à la croissance et à l'expansion d'un pays relativement neuf. Pendant des années, les États Unis ont été les plus grands emprunteurs au monde sur le marché scientifique et, plus particulièrement, dans le domaine des sciences reliées à la médecine. Pour avoir accès à ce que le monde offrait de mieux, nos jeunes gens devaient se rendre à l'étranger. Il n'y avait qu'ici et là un laboratoire de physiologie ou de pathologie et, en général, il n'était équipé que pour l'enseignement. Les changements qui se sont opérés au cours de vingt dernières années ont été remarquables. Aujourd'hui, il n'existe pratiquement pas de départements de médecine scientifique qui ne soient représentés dans nos grandes villes par des hommes qui y oeuvrent comme chercheurs, et la médecine scientifique américaine est en train de prendre sa juste place dans le monde. Rien ne l'illustre mieux que la création en l'espace de quelques années de revues consacrées à des sujets scientifiques; de plus, les importantes publications qui ont pris naissance grâce à nos membres témoigne bien de la participation active de cette université comme école de pointe. Le Conseil d'administration s'est vite rendu compte de la valeur de ces publications scientifiques, et le Bulletin ainsi que les Rapports ont largement contribué à asseoir la réputation de l'hôpital comme centre médical à travers le monde. Comprenons bien cependant qu'il ne s'agit là que d'un début. Pour chaque travailleur en pathologie—je veux dire par là un homme qui consacre sa vie à l'étude des causes des maladies—il y en a au moins vingt cinq en Allemagne et, pour chaque laboratoire ici au pays, il y là bas des douzaines de laboratoires de première classe dans l'une ou l'autre des sciences importantes ayant rapport à la médecine. Ce n'est pas que l'argent qui fasse défaut; les hommes, eux non plus, ne sont pas toujours disponibles. Quand la personne qui convient est disponible, elle met vite la science américaine au premier rang. Laissez moi vous en donner un exemple. L'anatomie est une branche fondamentale de la médecine. Il n'y a pas d'école, même au fin fond des bois, qui ne possède sa salle de dissection, mais il a été très difficile d'avoir une spécialisation en anatomie dans les universités américaines. Il y a toujours eu beaucoup d'hommes prêts à enseigner le sujet aux étudiants en médecine, mais quand il était question de morphologie et d'embryologie, et des problèmes innombrables qui leur sont reliés, ce n'est qu'ici et là que les sujets étaient abordés, et jamais de façon approfondie. Nos jeunes gens devaient donc se rendre à l'étranger pour voir un institut d'anatomie complètement équipé, moderne et en plein fonctionnement. Or, il existe aujourd'hui, rattachée à notre université, une école d'anatomie dont tout pays pourrait être fier et les travaux du Dr Mall montrent bien ce qui peut se faire quand l'homme est à la hauteur de son environnement.

Il est encourageant de voir s'établir des écoles spécialisées dans l'étude des maladies comme l'Institut Rockefeller à New-York, l'Institut McCormick à Chicago et l'Institut Phipps à Philadelphie. Elles stimuleront les efforts dans des sphères dans lesquelles le pays a été plutôt faible jusqu'à présent. Cela fait crever d'envie de voir ce que nos confrères allemands sont capables de faire. Prenez, par exemple, le chapitre le plus triste de l'histoire des maladies—la démence, la plus grande malédiction de la vie civilisée. On a fait beaucoup aux États Unis pour soigner les aliénés et on a bien étudié cette maladie à certains endroits. Je peux également dire que l'excellent travail amorcé dans cette voie à l'Hôpital Sheppard attire partout l'attention. Cependant, cela semble une bagatelle en comparaison de ce qui se fait à ce sujet en Allemagne où il existe de grandes cliniques psychiatriques rattachées à chaque université et où les cas précoces et douteux sont habilement étudiés et sont traités avec savoir faire. Le nouveau département de santé mentale rattaché à l'Université de Munich a coûté près d'un demi million de dollars! Parmi les quatre nouveaux départements pour lesquels une partie des terrains de notre hôpital a été laissée vacante et sur lesquels des édifices seront construits d'ici vingt-cinq ans, l'un devrait être une clinique psychiatrique modèle pour les cas graves et curables. Le deuxième devrait être une clinique pour les maladies de l'enfant. Notre service de consultations externes a beaucoup fait sous la direction du Dr Booker qui a contribué à clarifier un des problèmes obscurs de la mortalité infantile. Nous avons cependant besoin d'un édifice avec de bonnes salles et de bons laboratoires où on pourra faire un travail tout aussi notable et universel que la division du Dr Kelly l'a fait en maladies de la femme.* Le troisième grand département pour lequel on doit bâtir un édifice distinct est celui de la syphilis et de la dermatologie. Une bonne partie de la réputation dont jouit notre hôpital vient du travail de feu le Dr Brown, du Dr Gilchrist et du Dr Hugh Young dans ces spécialités. Il faut aussi une vaste clinique distincte pour les maladies de l'oeil, de l'oreille et de la gorge de façon à accorder à ces domaines si importants l'équipement qu'ils méritent.

Que de reconnaissance nous devons avoir, nous qui avons partagé les débuts des activités de ces deux grandes institutions! Nous avons eu le bonheur d'avoir deux Présidents remarquables dont la compréhension a stimulé tous les départements et dont le bon sens a permis de minimiser les frictions entre les différentes pièces de la machine—un problème dont souffrent souvent les collèges. On ne peut passer sous silence le fait qu'au sein d'un groupe aussi hétéroclite, provenant de tous les coins du pays, les hommes aient pu ajuster leurs vies si harmonieusement et si paisiblement, créant ainsi une camaraderie et une harmonie des plus agréables dans les facultés. Nous avons été particulièrement favorisés dans nos relations avec les citoyens qui ont non seulement apprécié les avantages énormes que confèrent ces grandes responsabilités à la ville et à l'état, mais qui ont fait leur part pour rendre possible une nouvelle ère dans la vie de l'université.

* Il fait grand plaisir d'apprendre que l'Hôpital Hamett Lane Johnston pour enfants sera associé avec l'Hôpital Johns Hopkins et répondra aux exigences dont j'ai parlé.

Nous, du corps professoral, nous devons une reconnaissance toute particulière à notre profession dont l'influence et l'appui ont été responsables en bonne partie du succès de l'hôpital et de l'école de médecine. Je ne pense pas ici seulement aux médecins de la ville et de l'état qui ont travaillé avec nous de façon si sincère mais aux médecins de partout au pays, en particulier ceux des états du sud qui nous ont accordé toute leur confiance. L'avenir repose sur le maintien de cette confiance. La nature du travail accompli au cours des seize dernières années est la meilleure garantie de sa permanence.

Ce qui a été fait n'est qu'un gage de ce qui se fera dans l'avenir. Continuons à rechercher cette nouvelle perfection que nous avons fait naître mais qui est destinée à nous surpasser. Nous n'avons fait que servir et nous n'avons vu que le commencement. Personnellement, je me sens profondément reconnaissant d'avoir pu participer à cette noble activité et d'y avoir travaillé avec des hommes dotés d'un idéal si élevé et si humain.

---

[1] Cette remarque bien innocente provoqua un malentendu hors de proportion. Attisés par des journaux en quête de titres à sensation, certains critiques accusèrent Osler de préconiser ouvertement l'emploi du chloroforme pour nos citoyens les plus âgés, une attitude si étrangère au vrai tempérament d'Osler qu'elle devait évidemment être fausse. Pour une description de l'incident, voir C.G. Roland, « The Infamous William Osler », JAMA 193 : 436-438, 1965. (C.G.R.)

[2] « ravivé et nourri par l'inspiration de jeunes garçons » (C.G.R.)

OSLER EN COMPAGNIE D'ÉTUDIANTS AU JOHNS HOPKINS
Courtoisie de la bibliothèque Osler, Université McGill

La vie d'étudiant*

« La vie d'étudiant. Un discours d'adieu aux étudiants en médecine canadiens et américains » a été publié à différents endroits en 1905, y compris dans le *Canada Lancet* (vol. 39, pages 121-138, 1905-06). Il a été publié à nouveau dans *Aequanimitas* (2ᵉ édition, 1906) et dans *Modern Essays* de Christopher Morley (New-York, Harcourt, Horace & Co., 1921).

SAUF peut être les amants, il n'y a pas de sujet d'étude plus intéressant qu'un étudiant. Shakespeare aurait fort bien pu en faire le quatrième personnage de son groupe immortel. Le lunatique avec son idée fixe, le poète avec sa brillante frénésie, l'amant avec son idolâtrie folle, et l'étudiant avide de connaissances sont « de l'imagination un seul tout ». Une énergie inépuisable doit s'allier à une passion dévorante et à un dévouement sans bornes si l'étudiant veut devenir un fidèle de la déesse aux yeux verts qui régit ses services. Comme la quête du Saint Graal, la quête de Minerve n'est pas donnée à tous. D'un côté, la vie pure; de l'autre, ce que Milton appelle « un fort penchant de la nature ». Là encore, l'étudiant ressemble souvent au poète—on naît étudiant, on ne le devient pas. Bien qu'étant le résultat du moulage de forces externes et accidentelles et des énergies embryonnaires cachées qui forment en chacun de nous les traits nationaux, familiaux et individuels, le véritable étudiant possède en quelque sorte une étincelle divine qui fait que leurs lois ne tiennent à rien. Comme le « serquin »**, il défie toute définition mais trois signes indubitables vous permettront de distinguer le modèle authentique d'un « Boojum »—un désir insatiable de connaître la vérité, une ténacité inébranlable dans sa

---

* Un discours d'adieu aux étudiants en médecine canadiens et américains, 1905.

** Contraction de *snake* (serpent) et de *shark* (requin), animal imaginaire inventé par Lewis Carroll. Être insaisissable et trouble-fête qui, au moment où l'on croit l'avoir capturé, devient—un *Boojum*. (N.d.T.)

poursuite et un coeur ouvert et honnête sans suspicion ni artifices ou jalousie. Au départ, ne vous inquiétez pas de cette grande question—la Vérité. Tout est très simple si chacun commence avec le désir d'en saisir le plus possible. Aucun être humain n'est bâti pour connaître la vérité, toute la vérité, rien que la vérité; et même le meilleur des hommes doit se contenter de fragments, d'une perception tout au plus partielle, sans jamais pouvoir obtenir une pleine vue d'ensemble. Dans cette recherche à jamais inassouvie, l'attitude de l'esprit, le désir, la soif—une soif qui doit venir de l'âme—et l'attente fiévreuse sont l'alpha et l'oméga. Qu'est l'étudiant si ce n'est un amant faisant sa cour à une maîtresse volage qui constamment se dérobe à lui? Cette évanescence ouvre la voie au deuxième trait de caractère du véritable étudiant—la ténacité dans le but à atteindre. À moins que, dès le début, vous n'ayez accepté les limites inhérentes à nos fragiles facultés humaines, il ne faut vous attendre qu'à de la déception. La vérité est ce que vous pouvez atteindre de mieux en faisant tout votre possible; c'est ce les meilleurs hommes acceptent—c'est de cela dont vous devrez apprendre à vous satisfaire, tout en entretenant, en toute humilité, un désir profond d'en acquérir une plus large part. Ce n'est qu'en gardant un esprit malléable et réceptif que l'étudiant échappera à la perdition. Ce n'est pas, comme l'a fait remarquer Charles Lamb, que certains ne savent que faire de la vérité quand elle leur est offerte, mais le tragique destin est plutôt d'en arriver, après des années d'une patiente recherche, à un stade d'aveuglement de l'esprit qui empêche de reconnaître la vérité, même si elle est là, juste en face de vous. C'est une chose qui ne peut jamais arriver à quelqu'un qui a suivi pas à pas l'éclosion d'une vérité et qui est conscient des douloureuses phases de son évolution. Une des grandes tragédies de la vie est que chaque vérité ait à se débattre pour être acceptée par des étudiants honnêtes mais aveugles. Harvey connaissait bien ses contemporains et, pendant douze années consécutives, a continué à faire la démonstration de la circulation sanguine avant d'oser publier la réalité sur laquelle s'appuyait la vérité.* Seules la ténacité et l'humilité peuvent permettre à l'étudiant de se réorienter pour accepter les nouvelles conditions qui engendrent de nouvelles vérités ou qui modifient les anciennes vérités au point de les rendre méconnaissables.

Finalement, en troisième lieu, un coeur honnête permettra à l'étudiant de rester en contact avec ses condisciples et lui conférera ce sens de la camaraderie sans laquelle il aura à traverser seul le désert aride. Je dis intentionnellement un coeur honnête—la tête honnête, elle, est plutôt froide et sévère; elle est portée au jugement, non à la pitié, et n'est pas toujours apte à pratiquer cette noble charité qui, sans penser à mal, s'efforce d'accorder la meilleure interprétation possible aux motifs d'un compagnon de travail. Un coeur honnête encouragera aussi cette attitude d'émulation généreuse et amicale, dénuée du monstre verdâtre de la jalousie, qui est la meilleure façon d'empêcher le développement d'un esprit scientifique bâtard qui recherche la réclusion et oeuvre dans l'ombre d'un laboratoire verrouillé, aussi craintif de la lumière que ne l'est un voleur.

Vous êtes tous devenus des frères dans une grande société, non pas des apprentis, puisque ce mot sous entend la présence d'un maître et rien ne devrait être plus loin de l'attitude du professeur que ce que ce mot signifie, à moins qu'on ne l'emploie dans le sens si agréable de nos frères français, pour signifier un lien de filiation intellectuelle. Une attitude fraternelle n'est pas facile à entretenir—le fossé entre la chaire et le pupitre est difficile à combler. Deux éléments ont contribué à jeter un pont à travers le gouffre. Un bon professeur ne se tient plus sur une hauteur pour pomper du savoir sous pression dans des réceptacles inertes. Les nouvelles méthodes ont changé tout cela. Le professeur n'est plus *Sir Oracle* qui, par son comportement, se met à dos, peut être inconsciemment, un auditoire au niveau duquel il ne parvient pas à s'abaisser; il est plutôt l'étudiant plus âgé avide d'aider ses confrères plus jeunes. Quand un esprit à la fois simple et sérieux anime un collège, il n'y a pas véritablement d'intervalle entre l'enseignant et l'apprenant—ils font tous les deux partie de la même classe, l'un, d'un niveau un peu plus avancé que l'autre. Ainsi animé, l'étudiant a l'impression d'appartenir à une famille dont l'honneur est son honneur, dont le bien être est le sien et dont les intérêts doivent être son premier souci.

La chose la plus difficile à mettre dans la tête d'un débutant est de le convaincre que ce qu'il vient d'entreprendre n'est ni un cours collégial, ni un cours de médecine, mais bien un cours sur la vie et que les quelques années passées aux côtés des professeurs ne servent qu'à l'y préparer. Que vous chanceliez ou que échouiez dans la course ou que vous la poursuiviez plutôt jusqu'au bout dépend de l'entraînement que vous avez reçu avant le

---

* « Mon opinion à ce sujet, comme d'habitude, a plu à certains et moins à d'autres; certains m'ont condamné et calomnié, et m'ont imputé le crime d'avoir osé me départir des préceptes et des avis de tous les anatomistes. »—*De Motu Cordis*, chap. 1.

départ et de votre pouvoir d'endurance, deux points sur lesquels je n'ai pas besoin de m'étendre. Vous pouvez tous devenir de bons étudiants, certains d'entre vous même de grands étudiants et, de temps à autre, on trouvera parmi vous quelqu'un qui peut faire facilement et fort bien ce que d'autres ne peuvent pas faire du tout ou font très mal—c'est là l'excellente définition que John Ferriar a donnée d'un génie.

Dans la précipitation et le branle bas du monde des affaires qui caractérisent la vie sur notre continent, il n'est pas facile de former des étudiants de première classe. Dans les conditions actuelles, il est difficile de trouver l'isolement nécessaire, ce qui explique qu'il y ait tant de fruits laissés de côté dans notre marché de l'enseignement. J'ai toujours été impressionné par le conseil de saint Jean Chrysostome : « Laisse le grand chemin et transplante toi en terrain clos, car il est difficile pour un arbre qui se tient le long du chemin de garder ses fruits jusqu'à ce qu'ils soient mûrs.» Le dilettante est un étranger dans le pays, un homme qui s'aventure toujours dans des tâches pour lesquelles il est mal équipé, une habitude de l'esprit entretenue par la multiplicité des sujets dans le programme d'études; et alors que bien des choses sont étudiées, il y en a peu qui le sont de façon approfondie. Les hommes ne prennent pas le temps d'aller au coeur des choses. Après tout, la concentration est le prix que l'étudiant moderne doit payer pour le succès. Apprendre à aller au fond des choses est une habitude difficile à acquérir, mais c'est une perle de grand prix qui vaut tous les soucis et les ennuis qu'exige sa recherche. Le dilettante vit une vie facile, comme le papillon, ignorant tout de la peine et du labeur qui permettent de déterrer dans le passé les trésors de la connaissance ou de les extirper grâce à une recherche patiente dans les laboratoires. Prenez, par exemple, l'histoire des premiers temps du pays dans lequel nous vivons—comme il est facile pour un certain type d'étudiant d'acquérir des connaissances superficielles, parfois même des connaissances assez complètes, des événements du temps des colonies françaises et espagnoles. Mettez devant lui un document original et ce pourrait tout aussi bien être de l'arabe. Ce dont nous avons besoin, c'est d'un autre genre d'étudiant, celui qui connaît les dossiers et qui, avec une vue d'ensemble et un entraînement dans ce qu'on pourrait appeler l'embryologie de l'histoire, a quand même une solide vision des petits détails de la vie. Ce sont ces hommes de la cuisine et de l'escalier de service qui doivent être encouragés, des hommes qui possèdent leur sujet sous toutes les formes possibles. La concentration a ses inconvénients. Il est possible pour un étudiant de devenir tellement absorbé par le problème de « l'enclitique δξ » de la structure des flagelles du trichomonas, ou des orteils du cheval préhistorique, qu'il en perd le sens des proportions dans son travail et gaspille même toute une vie en recherches qui n'ont aucune valeur parce qu'elles n'ont pas de rapport avec les connaissances actuelles. Vous vous souvenez du pauvre Casaubon dans Middlemarch qui perdit la science qu'il avait si douloureusement acquise à cause de cela. La meilleure prévention est de se dénationaliser très tôt. Le véritable étudiant est un citoyen du monde dont l'allégeance de l'âme est, tout compte fait, trop précieuse pour se limiter à un seul pays. Les grands esprits, les grandes oeuvres dépassent les limites du temps, de la langue et de la race, et l'homme savant ne peut jamais se sentir admis au sein des élus tant qu'il n'a pas abordé tous les problèmes de la vie d'un point de vue cosmopolite. Je ne me soucie pas de savoir sur quel sujet il peut travailler; on ne peut atteindre la connaissance complète sans emprunter aux ressources de pays autres que le sien—françaises, anglaises, allemandes, américaines, japonaises, russes, italiennes—il ne doit y avoir aucune discrimination de la part de l'étudiant loyal qui doit de bon coeur puiser à toutes et chacune des ressources avec un esprit ouvert et la ferme résolution de rendre à chacun son dû. Je ne me soucie pas de connaître le domaine dans lequel il peut s'engager; suivez en le cours et les ruisseaux qui l'alimentent proviennent de plusieurs pays. S'il veut faire un travail efficace, il doit se tenir en contact avec les experts d'autres pays. Combien de fois n'est il pas arrivé, par ignorance de ce qui avait été fait ailleurs, que des années précieuses soient consacrées à un problème déjà résolu ou prouvé insoluble. Et ce n'est pas seulement une connaissance purement livresque qui est nécessaire, mais aussi une connaissance des hommes. L'étudiant visitera, si possible, les hommes d'autres pays. Les voyages ne font pas qu'élargir l'esprit et apporter des certitudes au lieu de vagues suppositions; les contacts personnels qu'ils offrent avec des travailleurs étrangers amènent aussi l'étudiant à mieux apprécier les failles ou les réussites dans sa propre profession et peut être même à considérer d'un oeil plus charitable le travail d'un frère qui dispose de moyens et de possibilités plus limités que les siens. Ou alors, au contact d'un esprit supérieur, il peut s'enflammer et la flamme de l'enthousiasme peut devenir l'inspiration de sa vie. La concentration doit alors s'associer à une large vision du problème et à une connaissance de l'état dans lequel on le situe ailleurs; autrement, il peut se retrouver dans le bourbier d'une spécialisation si étroite que la profondeur n'est obtenue qu'aux dépens de la largeur, ou il peut être amené à faire ce qu'il croit être d'importantes découvertes quand elles sont en fait monnaie courante depuis longtemps dans d'autres pays. Il est triste de penser que les jours de l'étudiant au savoir encyclopédique tirent à leur fin, que nous ne verrons peut être jamais plus de Scaliger, de Haller, de Humboldt—des hommes qui considéraient tout le champ du savoir comme leur propre domaine et qui l'observaient comme à partir d'un pinacle. Et pourtant, un grand généraliste de la spécialisation apparaîtra t il peut être, qui sait? Un Aristote du vingtième siècle est peut être encore au biberon, rêvant tout aussi peu pour l'instant que ses parents et amis d'une conquête de l'esprit auprès de laquelle les victoires du Stagirite feraient piètre figure. Un étudiant de talent vaut autant pour le pays qu'une demi douzaine d'élévateurs à grain ou qu'un réseau ferroviaire intercontinental. C'est une commodité singulièrement capricieuse et changeante qu'on ne peut cultiver sur commande. Quant à son avènement, nul ne peut dire quand, ni où il se produira. Les conditions propices sont souvent présentes en dépit de circonstances insolites. Certains des plus grands étudiants que ce pays ait produits venaient de petits villages ou de coins perdus. Il est impossible de prédire, par une étude de l'environnement, lequel des « forts penchants de la nature », pour reprendre encore une fois le mot de Milton, pliera ou rompra aisément.

L'étudiant doit se voir accorder entière liberté dans son travail, sans être dérangé par l'esprit utilitaire du Philistin qui crie, *Cui bono?* et méprise la science pure. C'est grâce à des hommes qui ont fait un travail de pionniers en chimie, en physique, en biologie et en physiologie, sans avoir le moindrement pensé aux applications pratiques au cours de leurs recherches, que les sciences appliquées et les affaires industrielles de toutes sortes occupent aujourd'hui une place de premier plan. Les représentants de ce groupe remarquable d'étudiants productifs sont rarement compris du commun des mortels qui est tout aussi peu sensible à leur zèle altruiste qu'à leur désintéressement du côté pratique des problèmes

De nos jours, l'étudiant en médecine est accueilli partout avec respect comme membre de la confrérie. Il fut un temps, je dois l'admettre, et certains d'entre nous s'en souviennent encore, où, comme Falstaff, il s'adonnait plutôt « aux tavernes, au vin et à l'hydromel, aux beuveries, aux jurons et aux oeillades, babioles et balivernes », mais les études ont changé tout cela et maintenant les « Médicos » vous interpellent tout aussi gentiment que les « Théologues ». Ce que j'ai dit à propos de la vie en général et de l'attitude mentale de l'étudiant s'applique dix fois plus dans votre cas en raison du caractère particulier du sujet de vos études. Il s'agit de l'homme, avec toutes ses anomalies et ses maladies du corps et de l'esprit—la machine réglée, la machine déréglée, et votre tâche est de la remettre en ordre. Durant toutes les phases de sa carrière, cette machine si compliquée dans notre monde merveilleux sera l'objet de votre étude et de vos soins—le nouveau né dans sa nudité, l'enfant sans artifices, le jeune homme et la jeune fille à peine conscients de l'arbre de la connaissance suspendu au dessus d'eux, l'homme fort à la fleur de l'âge, la femme portant au front la bénédiction de la maternité, le vieillard paisible dans sa contemplation du passé. Presque tout s'est renouvelé dans la science et l'art de la médecine mais, tout au long des siècles, il n'y a pas eu de variation, pas l'ombre d'un changement dans les caractères essentiels de la vie qui s'offre à notre contemplation et à nos soins. L'enfant naturel malade du chantre d'Israël, les espoirs anéantis par la peste du grand Athénien, Elpénor privé de sa chère Artémidore, la « fille de Tullius pleurée avec tant de tendresse » n'appartiennent à aucune époque ni aucune race—ils sont ici aujourd'hui avec nous, avec les Hamlet, les Ophélie, le roi Lear. C'est au sein de cet héritage éternel d'afflictions et de souffrances que se situe notre travail et cette note éternelle de tristesse serait insupportable si les tragédies quotidiennes n'étaient allégées par le spectacle de l'héroïsme et du dévouement manifestés par les acteurs. Rien ne pourra mieux vous soutenir que le pouvoir de reconnaître, à travers la routine monotone, comme certains la considèrent, la vraie poésie de la vie—la poésie de la vie de tous les jours, de l'homme ordinaire, de la femme terne et usée à la tâche, avec leurs amours et leurs joies, avec leurs peines et leurs douleurs. La comédie de la vie, elle aussi, sera étalée devant vous et nul, plus que le médecin, n'a l'occasion de rire des mauvais tours que Puck joue aux Titanias et aux Bottoms qui font partie de ses patients. Le côté comique lui apparaîtra presque aussi souvent que le côté tragique. Levez les mains vers le ciel et remerciez votre bonne étoile de vous avoir donné assez de bon sens pour apprécier les situations inconcevablement drôles dans lesquelles nous surprenons nos semblables. Malheureusement, c'est là un des cadeaux gratuits des dieux qui est inégalement distribué; il n'est pas accordé à tous et n'est pas non plus donné à parts égales. À l'excès, ce cadeau n'est pas sans risques et, de toute façon, chez le médecin, il est plus apprécié quand il se manifeste visuellement que lorsqu'il s'exprime oralement. L'hilarité et la bonne humeur, une désinvolte gaieté, une nature « penchant du côté sud », pour employer l'expression de Lowell, aident énormément dans l'étude et l'exercice de la médecine. Pour ceux qui sont de tempérament naturellement sombre et revêche, il est difficile de conserver la bonne humeur au milieu des épreuves et des tribulations de la journée et pourtant, c'est une faute impardonnable que de circuler parmi les patients en ayant triste mine.

Divisez votre attention à parts égales entre les livres et les hommes. La force du bibliophile est d'être capable de s'installer—deux ou trois heures d'affilée—et d'aller au fond du sujet, le crayon et le cahier de notes en mains, bien déterminé à en maîtriser les détails et la complexité et déployant tous ses efforts pour cerner les difficultés. Habituez vous à vérifier toutes sortes de problèmes et d'énoncés que vous trouvez dans les livres et tenez le moins de choses possibles pour acquises. Une attitude d'esprit à la Hunter dans le sens de « Il ne s'agit pas de penser, mais d'essayer », est ce qu'il faut rechercher. Lors d'une discussion à propos des rainures laissées sur les ongles après une poussée de fièvre, la question s'est posée à savoir combien de temps il fallait à un ongle pour pousser de la racine à l'extrémité. La majorité de la classe n'a montré aucun intérêt pour le sujet; quelques uns ont consulté des livres; deux étudiants, quant à eux, ont marqué de nitrate d'argent la racine de leurs ongles et, au bout de quelques mois, avaient acquis une connaissance pratique du sujet. Ils avaient fait preuve de la bonne attitude. Essayez de vérifier pour vous mêmes les petits points qui surgissent au cours de vos lectures. Plusieurs d'entre vous seront aux prises au départ avec une difficulté fondamentale—le manque de préparation à des études vraiment ardues. Nul ne peut avoir observé des groupes successifs de jeunes gens dans les écoles spécialisées sans profondément déplorer le caractère improvisé et fragmentaire de leur formation préliminaire. Il est regrettable que nous ne puissions avoir d'étudiants dans leur dix huitième année qui sont suffisamment versés dans les humanités et les sciences préliminaires à la médecine, mais il s'agit là d'un problème éducationnel dont seul un Milton ou un Locke pourrait traiter avec profit. Avec opiniâtreté, vous pouvez surmonter les faiblesses préliminaires et, une fois profondément intéressé, le travail dans les livres devient un passe temps. Un inconvénient sérieux dans la vie de l'étudiant est la timidité que peut engendrer un trop fort attachement aux livres. L'on devient timide, « dysopique » comme le disait Timothy Bright; on évite les regards et on rougit comme une jeune fille.

La force de la personne qui étudie les hommes réside dans les voyages—étudier les hommes, leurs habitudes, leur caractère, leur mode de vie, leur comportement en diverses occasions, leurs vices, leurs vertus et leurs particularités. Commencez d'abord par une observation attentive de vos confrères et de vos professeurs; par la suite, chaque patient que vous voyez est une leçon qui va au delà de la maladie dont il souffre. Mêlez vous autant que vous le pouvez au monde extérieur et apprenez ses habitudes. Associez vous systématiquement aux sociétés et aux syndicats d'étudiants, fréquentez le gymnase et divers cercles sociaux; ceci vous permettra de vaincre le manque d'assurance qui va si souvent de pair avec la passion des livres et qui peut se révéler un sérieux inconvénient plus tard dans la vie. Je ne pourrai jamais assez insister pour faire comprendre aux plus réfléchis et aux plus attentifs d'entre vous la nécessité de surmonter cette défaillance malheureuse durant votre vie d'étudiant. Il n'est pas facile pour tous d'en arriver à un juste milieu et il n'est pas toujours facile non plus de faire la distinction entre la confiance en soi et « l'insolence », en particulier pour les étudiants les plus jeunes. L'insolence se retrouve surtout chez ces étudiants pèlerins qui, en redescendant des Monts délectables, se sont égarés et ont abouti sur la rive gauche, là où se situe le pays de la Suffisance, ce pays, vous vous en souviendrez, où la jeune et folle Ignorance rencontre Christian.

J'aimerais que, sur ce continent, on puisse encourager chez nos meilleurs étudiants l'habitude du vagabondage. Je ne sais pas si nous y sommes bien préparés, car il existe encore une grande diversité dans les programmes d'études, même dans les meilleures écoles, mais il n'en reste pas moins qu'étudier avec différents professeurs représente un grand avantage car cela élargit les horizons de l'esprit et accroît les sympathies. Une telle pratique pourrait beaucoup contribuer à diminuer cette attitude étroite de « moi, je suis de Paul, moi, je suis d'Apollos », qui est l'ennemie des meilleurs intérêts de la profession.

J'aimerais vous en dire beaucoup plus sur la question du travail, mais il ne me reste que le temps d'en dire un mot ou deux. Qui oserait s'aventurer sur un sujet aussi banal que le moment qui est le plus propice au travail? Les uns nous diront qu'il n'y en a pas, que tous les moments sont bons et, en vérité, tous les moments sont bons pour celui dont l'esprit est absorbé par un grand problème. L'autre jour, je demandais à Edward Martin, le romancier bien connu, quel était, selon lui, le meilleur moment pour travailler. « Jamais le soir, jamais entre les repas », me répondit il, ce qui devrait plaire à certains de mes auditeurs. Les uns travaillent mieux la nuit, les autres, le matin; la grande majorité des étudiants que nous avons eus préféraient la dernière formule. Érasme, le modèle par excellence, disait, « Ne travaillez jamais la nuit; cela engourdit le cerveau et nuit à la santé. » Un jour, en circulant avec le Dr George Ross dans Bedlam, le Dr Savage, qui était alors le médecin chef, fit une observation sur deux groupes importants de patients—ceux qui étaient déprimés le matin et ceux qui étaient de bonne humeur, et il suggéra que le moral s'élevait et s'abaissait au rythme de la température corporelle—ceux avec une température matinale très basse étant déprimés et vice versa. Ceci, je le crois, illustre une vérité qui peut expliquer les différences extraordinaires dans les habitudes des étudiants en ce qui a trait au moment optimal pour effectuer le meilleur travail. À l'extérieur de l'asile, il existe aussi deux types importants : l'étudiant alouette qui aime voir le soleil se lever, qui se rend au déjeuner avec un visage rayonnant, qui n'est jamais en aussi bonne forme qu'à six heures du matin. Nous en connaissons tous de ce genre. Quel contraste avec l'étudiant hibou au visage matinal saturnien, affreusement malheureux, dérobé par l'abominable clochette du déjeuner des deux plus belles heures de la journée pour dormir, sans appétit, empreint d'une hostilité indéfinissable envers son vis à vis dont la loquacité et la bonne humeur sont également choquantes. Ce n'est que graduellement, à mesure que le jour avance et que sa température monte, qu'il devient endurable pour lui même et pour les autres. Mais voyez le, bien éveillé, à dix heures du soir. Pendant que notre joyeuse alouette est affalée dans un coma sans espoir sur ses livres et qu'il est difficile de le réveiller suffisamment pour au moins lui faire enlever ses bottes avant d'aller au lit, notre ami, le maigre hibou, délivré de l'ascendant de Saturne, les yeux brillants et le visage réjoui, est prêt à faire pendant quatre bonnes heures tout ce que vous désirez, étude sérieuse, ou

Abondance de coeur pour le bavardage,

et, vers deux heures du matin, il se mettra à décortiquer l'esprit de Platon. Il ne s'agit pas d'établir qui a raison et qui a tort mais plutôt de reconnaître qu'il existe deux types d'étudiants, différemment constitués, à cause peut être—même si j'en ai peu de preuves—de particularités thermiques.

II

Durant le stage probatoire, vous pouvez tous vivre la vie étudiante dans toute sa plénitude et toutes ses joies, mais les difficultés surgissent quand vous quittez le collège pour assumer de nouvelles fonctions. Tout dépendra maintenant de l'attitude d'esprit qui aura été encouragée. Si votre travail s'est limité à obtenir votre grade, si l'obtention de votre diplôme a été votre seul et unique but et objet, vous vous réjouirez d'être libéré du fardeau des études astreignantes et possiblement déplaisantes et, en même temps que vos livres, vous vous débarrasserez de toute idée de poursuivre un travail systématique. Par contre, avec de bonnes habitudes d'observation, vous vous êtes peut être assez plongé dans le sujet pour sentir qu'il vous en reste encore beaucoup à apprendre, et si vous vous êtes mis dans la tête que la période du collège n'était que le début de la vie d'étudiant, il y a bon espoir que vous puissiez entrer dans l'utile carrière du praticien-étudiant. Cinq ans d'épreuves, au minimum, attendent celui qui vient de laisser ses maîtres et d'entreprendre une route indépendante—des années dont son avenir dépend et à partir desquelles son horoscope peut être tiré avec certitude. Qu'il s'installe dans un village de campagne ou qu'il continue à travailler dans un hôpital ou un laboratoire, qu'il entreprenne un long voyage à l'étranger ou qu'il pratique la médecine avec son père ou un ami, c'est la même chose—ces cinq années d'attente décident de son destin en ce qui a trait à la vie d'étudiant. Sans une forte propension naturelle pour l'étude, il peut se sentir tellement soulagé, une fois son diplôme obtenu, que l'effort de se plonger dans les livres est au dessus de ses forces mentales, et une revue hebdomadaire, accompagnée occasionnellement d'un manuel, lui fournit assez de nourriture intellectuelle, au moins pour conserver son esprit en hibernation. Mais, dix ans plus tard, il est mort mentalement, au delà de tout espoir d'être galvanisé à nouveau à la vie comme étudiant, tout juste bon pour les cas de routine. Il s'agit souvent d'un homme habile et ingénieux, mais sans convictions profondes, et probablement plus intéressé à la bourse et aux chevaux qu'au diagnostic ou à la thérapeutique. Mais tel n'est pas toujours le sort de l'étudiant qui termine son travail le jour de la collation des diplômes. Il y a des hommes pleins de zèle dans leur pratique, qui servent bien leurs semblables, mais qui n'ont ni la capacité ni l'énergie de se tenir à la page. Même s'ils ont perdu tout intérêt pour la science, ils demeurent de loyaux membres de la profession et assument les responsabilités qui leur reviennent. Ce premier lustre fatidique peut causer la ruine de notre matériel le plus prometteur. Rien n'est plus pénible pour le soldat que d'être inactif, de marquer le pas pendant que la bataille fait rage autour de lui; et d'attendre pour exercer est une tension sous laquelle plusieurs cèdent. Dans les grandes villes, il n'est pas trop difficile de ne pas se laisser distancer : il y a le travail dans les dispensaires et les collèges, de même que le stimulus des sociétés médicales. Cependant, dans les villes plus petites et à la campagne, il faut être un homme particulièrement fort pour vivre ces années d'attente sans s'ankyloser. Je souhaite que la coutume de s'associer des hommes plus jeunes comme partenaires et assistants se répande sur notre continent. C'est devenu une nécessité et il n'y a personne dans un vaste cabinet de médecine générale qui peut faire son travail de façon efficace sans aide qualifiée. Quel soulagement ce serait pour les aînés, quel avantage ce serait pour les malades si chacun de vous, pendant les cinq ou dix premières années, s'associait à un praticien plus âgé pour s'occuper de son travail de nuit ou de laboratoire et se charger de diverses corvées. Je n'y vois que des avantages. Vous échapperiez ainsi à l'isolement glacial et dangereux des premières années et, dans un entourage agréable, vous pourriez, avec le temps, vous épanouir en cette fleur de notre vocation—le praticien général cultivé. Que cela soit la destinée de la grande majorité d'entre vous! N'ayez pas de plus grandes ambitions! Vous ne pouvez atteindre de meilleure position dans la communauté; le médecin de famille est l'homme qui se tient derrière le fusil, celui qui accomplit le travail véritable. Sa vie est ardue et exigeante, il est sous payé et surmené, il a peu de temps pour l'étude et encore moins pour les distractions—mais ce sont là les coups de marteau qui donnent à son acier sa fine trempe et qui font ressortir les plus nobles éléments de son caractère. Quel est le lot ou la part du praticien général dans la vie d'étudiant? Peut être pas l'héritage fructueux de Juda ou de Benjamin, mais du moins la part importante d'Éphraïm. Un homme doté de pouvoirs d'observation, bien formé pour travailler auprès des malades et possédant la forte propension naturelle à laquelle j'ai si souvent fait allusion, peut vivre la vie idéale d'étudiant et même atteindre des niveaux encore plus élevés de savoir. Adams, de Banchory (un petit village de l'Aberdeenshire), n'était pas seulement un bon praticien et un habile chirurgien, mais aussi un excellent naturaliste. Ce n'est en aucune façon une combinaison inusitée ou remarquable, mais Adams devint, en outre, un des plus grands érudits de sa profession. Il avait une passion absolue pour les classiques et, tout en ayant un cabinet fort occupé, trouvait le temps de lire « à peu près tout ce qui nous est venu du grec depuis l'Antiquité, sauf les écrivains ecclésiastiques. » Il a traduit les oeuvres de Paul l'Éginète, celles d'Hippocrate et celles d'Arète, qui font toutes partie des publications de la Société Sydenham, autant d'exemples impressionnants de la patience et de l'érudition d'un médecin de campagne écossais et incitation pour nous tous d'apprendre à mieux nous servir du précieux temps dont nous disposons.

En prenant pour acquis que le praticien étudiant possède déjà le feu sacré et une formation préliminaire appropriée, il a besoin d'au moins trois choses pour stimuler et tenir à jour son éducation : un cahier de notes, une bibliothèque et un « dépoussiérage quinquennal du cerveau ». J'aimerais pouvoir avoir le temps de parler de la valeur de prendre des notes. Vous ne pouvez rien faire comme étudiant sans cette habitude. Ayez toujours avec vous un petit calepin dans la poche de votre gilet et ne questionnez jamais un nouveau patient sans avoir calepin et crayon à la main. Après l'examen d'un cas de pneumonie, deux minutes vous suffiront pour noter l'essentiel de l'évolution de la maladie. La routine et la structure, une fois devenues habitude, facilitent le travail et plus vous serez occupé, plus vous aurez de temps pour noter vos observations après avoir examiné un malade. Terminez vos notes par un bref commentaire, « cas évident », « cas présentant des symptômes obscurs », « erreur de diagnostic », etc. Faire des observations pourra devenir l'exercice du choucas, cette manie que tant de nous avons de collectionner des objets de toutes sortes. L'étude des cas, les rapports qu'ils ont entre eux et avec les cas cités dans la littérature—c'est là que commence la véritable difficulté. Commencez tôt à faire trois catégories—les cas évidents, les cas douteux, les erreurs. Et apprenez à jouer franc jeu, ne vous leurrez pas, ne reculez pas devant la vérité; faites preuve de pitié et de déférence envers les autres mais pas envers vous même. Gardez un oeil vigilant. Vous vous souvenez du célèbre mot de Lincoln à propos de l'impossibilité de tout le temps berner tout le monde. Ce n'est pas valable pour une personne qui se dupe elle même tout le temps. Si nécessaire, soyez cruel; utilisez le bistouri et le cautère pour éliminer la tumescence et la nécrose morale que vous sentirez dans la région pariétale postérieure, juste au centre Gall et Spurzheim de l'amour propre, là où vous trouverez un point sensible après avoir fait une erreur de diagnostic. Ce n'est qu'en groupant ainsi vos cas que vous pouvez réellement faire progresser votre formation post collégiale; ce n'est qu'ainsi que vous pouvez acquérir la sagesse ainsi que l'expérience. C'est une erreur fréquente de penser que plus un médecin voit de cas, plus il acquiert de l'expérience et des connaissances. Personne mieux que Cowper n'a fait la distinction dans ces quelques vers si souvent cités et que je ne me lasse pas de répéter à un auditoire médical :

Le savoir et la sagesse, loin d'être une seule et même chose,
Souvent n'ont aucun lien. Le savoir loge
Dans des têtes remplies des pensées d'autrui;
La sagesse dans des esprits attentifs à leurs propres pensées.
Le savoir est fier d'en avoir tant appris;
La sagesse a l'humilité de ne pas en savoir plus.

Ce que nous appelons bon sens ou sagesse est en fait le savoir, prêt à être utilisé, efficace, et il a le même rapport avec le savoir que le pain avec le blé. Un homme peut avoir une parfaite connaissance des pièces d'un engin à vapeur et de la théorie du fonctionnement de cet engin sans qu'on lui fasse confiance pour tirer la manette de l'accélérateur. Ce n'est qu'en recueillant des données et en les utilisant que vous pourrez acquérir la sagesse. L'un des plus beaux dictons de l'Antiquité est la remarque qu'Héraclite a faite à propos de ses prédécesseurs—à savoir qu'ils avaient beaucoup de savoir, mais peu de bon sens—ce qui montre bien que le noble et vieil Éphésien avait une très bonne notion de la différence. La distinction est aussi faite dans ce vers bien connu de Tennyson :

Le savoir vient mais la sagesse demeure.

Tout jeune médecin devrait avoir l'ambition d'avoir chez lui trois pièces bien équipées : une bibliothèque, un laboratoire et une chambre d'enfants—livres, balances et bébés. S'il ne peut avoir les trois, je l'inciterais à commencer par les livres et les balances. Commencez par deux bonnes revues, une hebdomadaire et une mensuelle, et lisez les. Puis, pour un programme systématique d'études, ajoutez à vos manuels de collège des traités plus élaborés (Allbutt ou Nothnagel), un traité de chirurgie et, à mesure que votre cabinet prend de l'expansion, prenez l'habitude de vous procurer chaque année quelques monographies. Lisez avec deux objectifs en tête : d'abord, pour vous familiariser avec les connaissances actuelles sur le sujet et les étapes qui ont permis de les atteindre et, deuxièmement, ce qui est plus important encore, lisez pour comprendre et analyser vos cas. C'est dans cette voie que nous devrions diriger l'attention de l'étudiant avant qu'il ne quitte l'école de médecine, en lui indiquant, dans des cas spécifiques, où il peut retrouver les meilleurs articles, en le renvoyant à l'Index médical—ce merveilleux entrepôt dont chaque page est intéressante et dont les titres eux mêmes sont instructifs. Apprenez tôt à faire la distinction entre la description d'une maladie et ses manifestations chez un malade donné—la différence entre le portrait composite et l'une de ses composantes. En faisant preuve d'un peu de jugement, vous pourrez vous monter à prix modique une bonne bibliothèque de travail. Essayez, durant ces années d'attente, de vous faire une idée nette de l'histoire de la médecine. Lisez *Lectures on the History of Physiology* de Foster et l'*Histoire de la médecine* de Baas. Procurez vous la série des « *Masters of Medicine* » et abonnez-vous au *Library and Historical Journal*.*

Tous les jours, adonnez vous à une lecture ou à un travail qui n'est pas du ressort de votre profession. Je comprends parfaitement, plus que n'importe qui, à quel point la profession médicale est absorbante. Ce mot de Michel Ange est d'ailleurs fort à propos : « Il y a des sciences qui exigent tout de l'homme, sans laisser l'esprit le moindrement libre pour d'autres distractions ». Un passe temps fera cependant de vous un meilleur homme et non un moindre praticien. Je ne me soucie pas de ce que cela peut être : jardinage ou agriculture, littérature, histoire ou bibliographie. Tous ces domaines vous mettront en contact avec les livres. (J'aimerais avoir le temps de vous parler des deux autres pièces de la maison, tout aussi importantes

---

* Brooklyn. Prix : 2 $ par année.

que la bibliothèque, plus difficiles à équiper et pourtant d'une grande valeur pour l'éducation de la tête, du coeur et des mains.) La troisième chose essentielle pour le praticien étudiant est le dépoussiérage quinquennal du cerveau et c'est souvent ce qui lui semblera le plus difficile. À tous les cinq ans, retour à l'hôpital, retour au laboratoire, pour une rénovation, une réadaptation, un rajeunissement, une réintégration, une réanimation, etc. N'oubliez pas d'apporter avec vous vos cahiers de notes ou vos feuilles, en trois paquets distincts. Commencez dès le début à épargner pour le voyage. Refusez vous tout luxe; mettez sous clef la chambre que vous réserviez pour les enfants—ayez la ferme intention de tout faire pour que votre éducation parte du bon pied. Si vous atteignez votre but, vous aurez peut être assez épargné au bout de trois ans pour faire des études pendant six semaines. Dans cinq ans, vous pourrez peut être consacrer six mois aux études. N'écoutez pas la voix du « Dr Buse » qui vous dira que vous allez ruiner votre avenir et qu'il « n'a jamais entendu parler d'une chose pareille », un jeune homme qui, avec moins de cinq ans de pratique, se paie trois mois de vacances. Cela lui semble franchement absurde. Regardez le grimacer quand vous lui direz qu'il s'agit pour vous d'une spéculation dans la seule mine d'or où devrait investir le médecin—la matière grise! Que faire de votre femme et de vos enfants, si vous en avez? Laissez les! Quelles que soient vos responsabilités envers vos êtres les plus proches et les plus chers, elles ne peuvent l'emporter sur vos responsabilités envers vous même, votre profession et le public. Comme Isaphène dont j'ai relaté l'histoire du mari—âme ardente et fervente, paix à ses cendres!—dans ma petite esquisse d'*Un étudiant d'Alabama*, votre épouse sera heureuse de prendre sa part du sacrifice que vous faites.

En supposant que vous ayez une bonne santé et de bonnes habitudes, la fin du deuxième lustre devrait vous voir bien installé—les trois pièces bien meublées, une bonne écurie, un bon jardin, pas d'actions dans les valeurs minières, par contre une assurance vie et peut être une hypothèque ou deux sur les fermes avoisinantes. D'année en année, vous avez été honnête avec vous-même; vous avez fidèlement mis à la bonne place les notes prises dans chacun de vos cas; vous constaterez avec satisfaction que, même si la pile de cas douteux et d'erreurs est encore assez épaisse, elle a en fait baissé. Vous « possédez » littéralement le pays, comme on dit. Tous les cas sérieux et douteux viennent à vous; de plus, vous avez admis vos erreurs avec tant d'honnêteté et accepté les erreurs de vos voisins médecins avec tant de compréhension que tous, vieux et jeunes, sont heureux de vous demander conseil. Votre charge de travail, qui était devenue très lourde, s'est allégée grâce à un bon assistant, un de vos propres étudiants, qui, dans un an ou deux, deviendra votre associé. Ce n'est pas là une image exagérée et on peut la retrouver en maints endroits sauf, je regrette de le dire, en ce qui a trait à l'associé. C'est le genre de personne dont nous avons besoin à la campagne et dans les petites villes. Il n'est ni trop bien pour s'occuper des malades, ni trop éduqué—impossible! Avec son tempérament optimiste et sa bonne digestion, il est le meilleur produit de notre profession et il pourra faire beaucoup plus pour contrer les charlatans et les hâbleurs, à l'intérieur et à l'extérieur des rangs, qu'une douzaine de procureurs de comté. Que dis je, bien plus encore! Un médecin comme cela peut se révéler une bénédiction quotidienne dans la communauté—un homme fort, sensible, entier, compréhensif et vivant souvent une vie d'abnégation, un homme qui n'est tracassé ni par les caprices des bien portants, ni par les entêtements agaçants des malades. C'est sur lui, entre tous (même quand il ne le sait pas), que descendra la vraie bénédiction du ciel—la « bénédiction qui enrichit et n'ajoute rien à la peine. »

Le grand danger qui guette la vie d'un tel homme vient de la prospérité. Il est en sécurité pendant les journées de dur labeur, pendant qu'il monte les échelons, mais une fois le succès atteint arrivent les tentations auxquelles beaucoup succombent. La politique a été la ruine de nombreux médecins de campagne, et souvent des meilleurs, et justement de ce genre de brave garçon dont je viens de parler. Il est populaire; il a un peu d'argent; et si quelqu'un peut sauver le siège du parti, c'est bien lui! Une fois la délégation partie, considérez l'offre et si, pendant les dix ou douze dernières années, vous êtes resté en termes étroits avec Montaigne et Plutarque, vos amis du temps où vous étiez étudiant, vous saurez quelle réponse donner. Si vous habitez la grande ville, résistez à la tentation d'ouvrir un sanatorium. Ce n'est pas là le travail d'un médecin généraliste et vous risqueriez d'y sacrifier votre indépendance et bien plus encore. Et, troisièmement, résistez à la tentation de déménager dans une grande localité. Dans un bon district agricole ou dans une petite ville, si vous gérez bien vos ressources en prenant bien soin de votre éducation, de vos habitudes et de votre argent, et en consacrant une partie de vos énergies à appuyer les sociétés, etc., vous pourrez atteindre une position dans la communauté dont n'importe qui serait fier. Il y a, parmi mes amis, des médecins de campagne avec qui je préférerais changer de place plutôt qu'avec n'importe qui dans nos rangs, des hommes dont la stabilité de caractère et le dévouement nous rendent fiers de notre profession.

Assez curieusement, le praticien étudiant peut trouver que l'amour de l'étude est une pierre d'achoppement dans sa carrière. Un homme studieux peut ne jamais réussir; versé dans les livres, il peut ne pas être capable d'utiliser son savoir à des fins pratiques; ou, plus vraisemblablement, son échec ne vient pas du fait d'avoir trop étudié dans les livres, mais de ne pas avoir mieux étudié les hommes. Il n'a jamais surmonté cette timidité, ce manque de confiance contre lesquels je vous ai mis en garde. J'ai connu des cas où cette maladie était incurable. Dans d'autres cas, le remède n'est pas venu du public, mais des confrères qui, reconnaissant la valeur du travail de la personne, ont insisté pour utiliser ses ressources mentales. Il est très difficile d'apporter ses habitudes d'étudiant dans un cabinet de grande ville; seuls le zèle et une passion fougueuse peuvent tenir la flamme allumée; les poussières et les cendres de la routine quotidienne peuvent si facilement l'éteindre. Un homme qui ne lit que dans le livre de la nature peut être un bon étudiant. Je me souviens d'un de ces hommes là* rencontré dans les premiers temps de mon séjour à Montréal—un homme qui, par son dévouement envers les patients, sa bonté et son habileté, avait acquis un très grand cabinet. C'est en lisant dans sa voiture ou au chevet de Lucina qu'il arrivait à rester bien informé; il avait un désir insatiable de connaître le vrai fond d'une maladie et c'est comme cela que j'ai fait sa connaissance. Même s'il était bousculé jour et nuit, il n'était jamais trop occupé pour passer quelques heures avec moi pour chercher l'information qui avait fait défaut durant la vie ou pour aider à percer le mystère d'une maladie nouvelle, comme, par exemple, l'anémie pernicieuse.

III

L'étudiant spécialiste doit avancer à pas prudents car, s'il existe deux avantages, il y a aussi deux grands dangers dont il doit constamment se méfier. Dans la complexité ahurissante de la médecine moderne, c'est un

---

* Feu John Bell.

soulagement de pouvoir limiter le travail d'une vie à un champ relativement restreint qu'on peut complètement labourer. Plusieurs éprouvent un sentiment de satisfaction à maîtriser un petit département, surtout quand il s'agit d'un département qui requiert une habileté technique. Cette concentration de l'effort a d'ailleurs été fort profitable en dermatologie, en laryngologie, en ophtalmologie et en gynécologie! Puis, règle générale, le spécialiste est un homme libre, avec des loisirs, ou tout au moins avec quelques loisirs; il n'est pas l'esclave du public, accablé des demandes incessantes infligées au médecin généraliste. Il peut avoir une vie plus rationnelle, il a le temps de se cultiver l'esprit et il peut se consacrer à l'intérêt public et au bien être de ses confrères dont il dépend largement pour l'apport de leur suffrage. Les dossiers de nos bibliothèques et de nos sociétés médicales sont témoins de ce que nous devons dans les grandes villes au travail désintéressé de cette classe favorisée. Ce n'est pas l'homme fort que les dangers guettent dans une spécialité, mais le faible qui recherche un champ plus facile où la volubilité et la dextérité mécanique peuvent se substituer à de solides connaissances. Tout va bien quand l'homme est plus grand que sa spécialité et la contrôle, mais quand la spécialité dépasse l'homme, c'est un désastre, une situation sens dessus dessous qui a causé un tort incalculable dans toutes les spécialités. En plus du danger venant des hommes faibles, il y a aussi le risque que des efforts prolongés et concentrés dans un champ restreint fassent perdre le sens de la perspective. Il n'y a qu'un moyen de défense contre une telle éventualité : cultiver les sciences qui sont à la base de la spécialité. L'étudiant spécialiste peut avoir une vision d'ensemble—plus que tout autre étudiant—s'il s'éloigne du côté mécanique de son art et garde contact avec la physiologie et la pathologie dont cet art dépend. Plus que n'importe qui d'entre nous, il a besoin des leçons de laboratoire, et les relations avec des personnes d'autres départements peuvent aider à corriger la tendance inévitable au rétrécissement et à la détérioration du champ de vision, qui font que la vie de la fourmilière est confondue avec celle du monde en général.

Toutes les facultés offrent à des degrés divers des exemples de l'*étudiant professeur*. Il va sans dire qu'on ne peut enseigner avec succès si l'on n'est en même temps étudiant. La routine, l'assommante routine, sape la vitalité de bien des gens qui débutent avec de grandes intentions et qui, pendant des années, luttent de toutes leurs forces contre la dégénérescence qu'elle peut entraîner. Dans l'isolement des petites écoles, l'absence de collègues oeuvrant dans le même domaine, favorise la stagnation et, après quelques années, le feu du premier enthousiasme ne brille plus guère dans les cours débités sans conviction. Chez beaucoup d'enseignants, les exigences sans cesse croissantes de la pratique laissent de moins en moins de temps pour l'étude et un homme, même remarquable, peut perdre contact avec son sujet sans qu'il n'y soit pour rien, empêtré qu'il est dans des affaires extérieures qu'il regrette amèrement, mais qu'il ne peut contrôler. Aux cinq sens dont l'a gratifié la nature, l'étudiant professeur doit en ajouter deux autres—le sens des responsabilités et le sens des proportions. La plupart d'entre nous commençons avec un sens hautement développé de l'importance de notre travail et avec le désir de faire honneur aux responsabilités qui nous ont été confiées. La ponctualité, la classe avant tout, toujours et en tout temps; le meilleur de soi, rien de moins; ce que la profession possède de meilleur sur le sujet, rien de moins; des énergies nouvelles et de l'enthousiasme pour traiter des détails les plus arides; un dévouement plein de générosité envers tous; une déférence à l'égard des assistants—voilà quelques-uns des fruits d'un vif sens des responsabilités chez un bon professeur. Le sens des proportions, par contre, n'est pas aussi facile à acquérir et dépend de la formation et des dispositions naturelles. Il y a des hommes qui ne le posséderont jamais; chez d'autres, il semble venir tout naturellement; chez les plus prudents, il a besoin d'être constamment cultivé—*rien de trop* devrait être la devise de tout enseignant. Pendant mes premières années, j'ai été influencé par un étudiant professeur sans égal, le Dr Palmer Howard, de Montréal, qui est aujourd'hui décédé. Si vous vous demandez de quelle sorte d'homme il s'agissait, lisez l'hommage qu'a rendu Matthew Arnold à son père dans Rugby Chapel, un poème bien connu. Dès son jeune âge, le Dr Howard s'était fixé une voie—« une voie vers un but bien défini », et il l'a poursuivie avec une fidélité inébranlable. Chez lui, l'étude et l'enseignement de la médecine ont été une passion absorbante dont l'ardeur n'a été réprimée, ni par les demandes incessantes et toujours grandissantes qui lui étaient imposées, ni par les années. Quand je l'ai connu, comme étudiant, au cours de l'été 1871, le problème de la tuberculose était sur toutes les lèvres en raison des travaux d'envergure de Villemin et des positions radicales de Niemeyer. À l'Hôpital Général de Montréal, on devait lui présenter toutes les lésions du poumon et c'est ainsi que j'ai pu connaître

Laennec, Graves et Stokes et que je me suis familiarisé avec leurs travaux. Quelle que fût l'heure, et c'était habituellement après dix heures du soir, j'étais le bienvenu, avec mon sac sous le bras et, si Wilks et Moxon, Virchow ou Rokitanski ne nous étaient d'aucun secours, il y avait les « Transactions » de la Société de Pathologie et le gros *Dictionnaire* de Dechambre. Enseignant par excellence parce qu'il était étudiant, toujours au fait des nouveaux problèmes, son énergie indomptable lui permettait, même avec un cabinet accaparant, de conserver un enthousiasme débordant et de garder ardent le feu qu'il avait allumé dans sa jeunesse. Depuis ce temps, j'ai vu bien des professeurs et j'ai eu bien des collègues, mais je n'en ai connu aucun qui pouvait allier avec tant de bonheur un sens aigu du devoir et la fraîcheur mentale de la jeunesse.

Mais, pendant que je vous parle, apparaît devant moi, tiré des souvenirs du passé, un groupe indistinct, une longue file d'étudiants à qui j'ai enseigné et que j'ai aimés et qui sont morts prématurément—mentalement, moralement ou physiquement. À ceux qui ont réussi, nous voulons et souhaitons vivement rendre hommage, sans pour cela ne pas reconnaître les échecs. Pour une raison ou pour une autre, peut être parce que, lorsque je ne suis pas absorbé par le présent, mes pensées se tournent surtout vers le passé, je me suis attaché à la mémoire de nombreux jeunes gens que j'ai aimés et perdus. *Io victis* : chantons parfois les vaincus. Pensons parfois à ceux qui sont tombés dans le combat de la vie, qui ont lutté et qui ont échoué, qui ont échoué sans même avoir lutté. Combien d'étudiants ai je perdu par mort mentale ou autrement—les uns, mort nés à leur sortie du collège, les autres, morts dès leur première année de marasme infantile, pendant que le rachitisme mental, le tabès et les crises en ont emporté beaucoup d'autres parmi les esprits les plus prometteurs! En raison d'une mauvaise alimentation durant les cinq premières années fatidiques, le scorbut et le rachitisme viennent en tête des causes de mortalité mentale chez les étudiants. Pour le professeur nourricier, c'est une douloureuse déception de ne trouver, au bout de dix ans, que si peu d'esprits entièrement développés, en dépit de ce que pouvaient laisser croire les promesses du début. Et, pourtant, cette mort mentale est si répandue qu'on ose à peine y faire allusion même chez nos amis. La véritable tragédie vient toutefois de la mort morale qui, sous diverses formes, touche tant de braves confrères qui abandonnent le pur, l'honorable, le vertueux service de Minerve pour s'adonner à l'idolâtrie de Bacchus, de Vénus ou de Circé. Sur fond de scène du passé se détachent ces tragédies, sinistres et sombres, et, à mesure que les noms et les visages de mes anciens élèves me reviennent à l'esprit (parmi eux, quelques uns dont j'étais particulièrement fier), je frémis à la pensée de ces espoirs flétris et de ces vies gâchées et je me force à retourner en esprit aux jours heureux où ils étaient, comme vous aujourd'hui, joyeux et libres de tout souci; je pense à eux dans les salles de classe, dans les laboratoires et dans les salles—et c'est le souvenir que je veux garder d'eux.

Moins douloureux à évoquer, quoique associé à une peine plus poignante, est le sort de ceux que la mort physique a arrachés à la fleur de l'âge de la vie d'étudiant. Ils font partie des plus tendres souvenirs de la vie d'un professeur, ces souvenirs dont il ne tient pas à parler souvent, croyant comme Longfellow que la meilleure façon de se souvenir d'eux réside dans « l'hommage silencieux de pensées non exprimées ». Lorsque je reviens en arrière, il me semble aujourd'hui que ce sont les meilleurs d'entre nous qui sont morts, que ce sont les plus brillants et les plus enthousiastes qui ont été emportés alors que les plus terre à terre ont été épargnés. Une vieille mère, une soeur dévouée, un frère aimant, dans certains cas une épouse au coeur brisé, pleurent la fin prématurée de leurs plus grands espoirs et, en leur mémoire, je voudrais mêler mes larmes aux leurs. Quelle perte pour la profession que la mort de Zimmerman de Toronto, de Jack Cline et R.L. MacDonnell de Montréal, de Fred Packard et Kirkbride de Philadelphie ainsi que de Livingood, Lazear, Oppenheimer et Oechsner de Baltimore— abattus alors que leur feuillage était encore vert, pour la plus inconsolable douleur de leurs amis!

L'exercice de la médecine sera, pour chacun de vous, ce que vous en ferez—pour certains, un tracas, un souci, un ennui perpétuel; pour d'autres, une joie de tous les jours et une vie remplie d'autant de bonheur et du sentiment d'être utile que le permet le sort de l'homme. C'est dans l'esprit étudiant que vous pourrez le mieux remplir la haute mission de notre noble métier—dans son *humilité*, conscient des faiblesses tout en recherchant la force; dans sa *confiance*, conscient du pouvoir tout en reconnaissant les limites de son art; dans sa *fierté* envers l'héritage glorieux d'où sont sortis les plus grands dons faits à l'homme; et dans son espoir, sûr et certain, que l'avenir nous réserve des bienfaits d'une richesse plus grande encore que ceux que le passé nous a donnés.

Un physiologiste du fond des bois*

L'essai a d'abord paru sous le titre de « William Beaumont. A Pioneer American Physiologist » dans le *Journal of the American Medical Association* (vol. 39, pages 1223-1231, 1902) et fut réimprimé dans *An Alabama Student and Other Biographical Essays* (Oxford University Press, 1908) sous le titre de « A Backwood Physiologist ». Il a paru de nouveau en 1929 comme introduction à une nouvelle édition de *Experiments and Observations* de Beaumont (XIIIe Congrès international de physiologie, Boston, 1929).

PRENEZ quelques instants et venez avec moi, par cette merveilleuse journée de juin 1882, dans des régions septentrionales alors fort reculées, à l'île Michilimacinac, là où les eaux du lac Michigan et du lac Huron se rencontrent et où se situe le Fort Mackinac, toujours présent dans la mémoire de l'Indien et du voyageur, l'un des quatre postes importants des Grands Lacs au temps où la rose et la fleur de lys se disputaient la maîtrise du Nouveau Monde. C'est ici que le noble père Marquette a oeuvré pour son Seigneur et c'est ici, sous la chapelle Saint Ignace, que sont déposés ses restes. C'est ici que l'intrépide Cavalier de La Salle, le brave Tonty et le déterminé Du Luht se sont arrêtés au cours de leurs audacieuses randonnées. Les palissades et les fortifications du vieux fort ont résonné des cris de guerre des Ojibways et des Outaouais, des Hurons et des Iroquois, et il a été la scène de massacres sanglants et de combats âprement disputés; mais, avec la fin de la Guerre de 1812, après deux cents ans de lutte, la paix s'était enfin installée dans l'île. Les troupes américaines occupaient le fort pour tenir les Indiens en échec et surveiller la frontière; l'endroit était devenu le lieu de rencontre des Indiens et des voyageurs à l'emploi de l'American Fur

---

* Conférence à la Société médicale de Saint-Louis, le 4 octobre 1902.

Company. En ce beau matin de printemps, le village était particulièrement animé. Il y avait beaucoup d'activité au poste de traite et la plage était bondée de canots et autres embarcations, remplis des fourrures de la chasse de l'hiver. Les voyageurs et les Indiens, hommes, femmes et enfants, avec ici et là quelques soldats, formaient une foule disparate. Soudain, on entendit, venant du magasin de la compagnie, le bruit d'un coup de fusil et, au milieu de la confusion et de l'affolement, la rumeur d'un accident ne tarda pas à se répandre. On se précipita donc vers les casernes à la recherche d'un médecin. En quelques minutes (Beaumont dira de vingt cinq à trente minutes; un témoin oculaire dira trois), un homme à l'allure alerte, portant l'uniforme d'officier médical de l'armée américaine, se fraya un chemin à travers la foule pour s'approcher du jeune Canadien français atteint de la décharge de fusil et, avec le calme que confère l'habitude de ce genre de blessures, il se prépara à examiner la victime. Bien que d'apparence jeune, le chirurgien Beaumont possédait déjà de valeureux états militaires : lors de la prise de York et de l'investissement de Plattsburg, le sang froid et la bravoure dont il avait fait preuve dans le feu de l'action lui avaient valu l'éloge de ses supérieurs. L'homme et l'occasion venaient de se rencontrer—la suite sera mon histoire de la soirée.

I. L'OCCASION—ALEXIS ST-MARTIN

Le matin du 6 juin, un jeune Canadien français, Alexis St Martin, se trouvait au magasin de la compagnie; « quelqu'un dans le groupe tenait un fusil de chasse (pas un mousquet) qui se déchargea accidentellement, faisant pénétrer toute sa charge dans le corps de St Martin. La bouche du fusil n'était pas à plus de trois pieds de lui—je crois même qu'elle n'était pas à plus de deux pieds. La bourre pénétra, de même que quelques morceaux de vêtement; sa chemise prit feu; il tomba mort, c'est du moins ce que nous supposions.

« Le Dr Beaumont, le médecin du fort, fut aussitôt mandé et arriva très rapidement auprès de la victime, probablement au bout de trois minutes. Nous venions de l'installer sur un lit de camp et commencions à le dévêtir. Après que le docteur eut extrait une partie des projectiles et quelques morceaux de vêtement et eut soigneusement pansé la plaie, avec l'aide de Robert Stuart et de quelques autres, il le quitta en disant : "Cet homme ne peut pas vivre trente six heures; je reviendrai le voir de temps en temps. " Deux ou trois heures plus tard, il revint le voir, s'étonnant de le trouver en meilleure forme que prévue. Le lendemain, après avoir retiré d'autres morceaux de projectiles et de vêtements et après avoir incisé les bords déchiquetés de la blessure, il informa monsieur Stuart, en ma présence, qu'il croyait que le malade pourrait s'en tirer. »*

La description de la blessure a été si souvent citée, telle que Beaumont l'avait rapporté dans son ouvrage, que je n'en donne ici que l'intéressant résumé que j'ai trouvé dans un « Mémorial » présenté au Sénat et à la Chambre des députés par Beaumont lui-même :

« La blessure se trouvait juste au dessous du sein gauche et on avait cru qu'elle serait mortelle. Une grande partie du côté gauche du corps était arrachée, les côtes étaient fracturées, et les cavités de la poitrine et de l'abdomen étaient perforées. Il en sortait d'ailleurs des parties de poumons et d'estomac, très déchirées et brûlées. C'était là un cas effroyable et sans espoir. Le diaphragme était déchiré; il y avait une perforation dans la cavité de l'estomac, d'où s'échappait de la nourriture au moment où votre mémorialiste fut appelé au secours du blessé. De prime abord, le jeune homme était irrémédiablement condamné, mais, à la surprise de tous, il réussit à surmonter les effets immédiats de la blessure et, même s'il dut continuer pendant longtemps à recevoir des soins et des traitements de votre mémorialiste, avec la grâce de Dieu, il retrouva finalement santé et force.

« Au bout d'environ dix mois, la plaie était partiellement guérie, mais il n'en demeurait pas moins un être tout à fait pitoyable et vulnérable. C'est ainsi qu'il fut déclaré "indigent ordinaire" par les autorités civiles du comté qui adoptèrent une résolution à l'effet qu'elles n'étaient ni en mesure, ni tenues de lui apporter secours ou appui, pour finalement en venir à décliner tout simplement de le prendre en charge. Conformément à ce qu'elles croyaient probablement être leur devoir, et en conformité avec les lois du territoire, elles s'apprêtaient à le ramener, malgré son piètre état,

---

* Description faite par G.G. Hubbard, un responsable de la compagnie, qui était présent quand St Martin fut blessé. La déclaration a été rapportée par le Dr J.R. Baily de l'île Mackinac dans sa conférence à l'occasion des Beaumont Memorial Exercises, à l'île Mackinac, le 10 juillet 1900. *The Physician and Surgeon*, décembre 1900.

à son lieu de naissance qui se trouvait dans le Bas Canada, à une distance de plus de quinze cent milles.

« Croyant que la vie de St Martin serait inévitablement sacrifiée si un tel projet était mis à exécution à ce moment là, votre mémorialiste, après s'être inutilement élevé maintes fois contre la décision des autorités, conclut que, le seul moyen de sauver St Martin de son triste sort et d'une mort imminente était d'empêcher le déménagement projeté et de prévenir ainsi les souffrances qui s'en suivraient, en l'accueillant chez lui dans sa propre famille où il pourrait recevoir tous les soins et l'attention qu'exigeait son état.

« Comme on l'a déjà indiqué, St Martin était, à ce moment-là, tout à fait vulnérable et ses blessures le faisaient beaucoup souffrir—nu et dépourvu de tout. C'est dans cet état que votre mémorialiste l'a reçu, l'a gardé, l'a soigné, l'a traité médicalement et chirurgicalement et a pourvu à ses besoins, à grands frais et en se donnant beaucoup de mal, pendant près de deux ans. Chaque jour, il pansait ses plaies, souvent même deux fois par jour ; il l'a soigné, l'a nourri, l'a habillé, l'a logé et lui a procuré tout ce que son état et ses souffrances exigeaient.

« Au bout de deux ans, il était capable de marcher et pouvait se débrouiller un peu par lui même, sans pouvoir toutefois subvenir à ses propres besoins. C'est ainsi que votre mémorialiste décida de garder St Martin dans sa famille dans le but de faire des expériences de nature physiologique. »

C'est au mois de mai 1825 que Beaumont commença ses expériences. En juin, il fut muté à Fort Niagara. Il emmena le jeune homme avec lui et continua ses expériences jusqu'en août. Il l'emmena ensuite à Burlington et à Plattsburg. C'est de là que St Martin retourna au Canada sans obtenir le consentement du Dr Beaumont. Il demeura au Canada pendant quatre ans, y travailla comme voyageur, se maria et eut deux enfants. En 1829, Beaumont réussit à retracer St Martin et l'American Fur Company l'engagea et le déménagea à Fort Crawford dans le haut Mississipi. Son côté et sa blessure étaient dans le même état qu'en 1825. Les expériences se poursuivirent sans interruption jusqu'en mars 1831 quand les circonstances firent qu'il dut rentrer dans sa famille au Bas Canada. Les « circonstances » dont il est question, comme le laissent entendre certaines lettres, étaient le mécontentement de son épouse et le mal du pays qu'elle éprouvait. Pour donner une idée du leurs voyages, Beaumont relate que St Martin emmena sa famille en canot ouvert « via le Mississipi, en passant par Saint Louis, remonta la rivière Ohio, traversa l'État d'Ohio jusqu'aux Grands Lacs puis descendit le lac Erié, le lac Ontario et le fleuve Saint Laurent jusqu'à Montréal où ils arrivèrent en juin. » Le Dr Beaumont met souvent l'accent sur la force physique de St Martin pour montrer comment il s'était complètement rétabli de sa blessure. En novembre 1832, il se soumit à une nouvelle série d'expériences à Plattsburg et à Washington. La dernière expérience notée date de novembre 1833.

Il y a dans les archives de Beaumont, dont je dois l'examen à la générosité de sa fille, Mme Keim, une vaste correspondance au sujet de St Martin qui va de 1827, soit deux ans après qu'il ait cessé d'être au service du docteur, à octobre 1852. Alexis fut à l'emploi du Dr Beaumont aux périodes déjà mentionnées. En 1833, il fut enrôlé dans l'armée américaine à Washington avec le titre de Sergent Alexis St Martin, dans un détachement d'ordonnances au Département de la Guerre. Il avait alors vingt-huit ans et mesurait cinq pieds cinq pouces.

On trouve, dans les archives de Beaumont, deux contrats signés par les deux parties en date du 19 octobre 1833 et du 7 novembre de la même année. Dans le premier, il s'engage, pour un terme d'un an, à :

> « Servir, respecter et accompagner le dit William Beaumont en tout lieu où il pourra aller ou voyager ou résider, dans toute partie du monde, comme serviteur lié par contrat et avec diligence et fidélité, etc., ... que, lui, le dit Alexis, sera en tout temps durant le dit terme, lorsque ainsi ordonné et requis par le dit William, soumis d'aider et de favoriser de son mieux les expériences philosophiques et médicales que le dit William effectuera ou fera effectuer sur ou dans l'estomac dudit Alexis, soit au travers ou par le moyen d'orifices ou d'ouvertures dans le flanc dudit Alexis, ou autrement, et observera, supportera et respectera tous les ordres raisonnables et appropriés ou les expériences dudit William s'y rapportant, ainsi que les pouvoirs et propriétés s'y

rattachant et les appartenances, pouvoirs, propriétés, condition et état du contenu dudit estomac. »

Le contrat stipulait que sa pension et son logement seraient payés et qu'il recevrait en plus 150 $ pour l'année. Dans l'autre contrat, de deux ans celui là, le montant était de 400 $. Il reçut au départ une certaine somme à titre d'acompte.

Il existe quelques lettres d'Alexis lui même, écrites en son nom et portant sa marque. En juin 1834, il écrit que sa femme ne veut pas le laisser partir et pense qu'il peut faire beaucoup mieux chez lui. À partir de ce moment là, Alexis ne devait plus jamais être à l'emploi du Dr Beaumont.

Il y a aussi une correspondance intéressante et prolongée au cours des années 1836, 1837, 1838, 1839, 1840, 1842, 1846, 1851 et 1852 au sujet de tentatives faites pour convaincre Alexis de venir à Saint Louis. Pendant la plus grande partie de cette période, il habitait Berthier, dans le district de Montréal, et la correspondance était surtout échangée avec un certain M. William Morrison, qui avait été dans le commerce de la fourrure dans le nord ouest et qui s'intéressait à Alexis et essayait de le persuader d'aller à Saint Louis.

En 1846, Beaumont envoya son fils Israël à la recherche d'Alexis et, dans une lettre du 9 août 1846, le fils écrit de Troy : « Je reviens tout juste de Montréal, mais sans Alexis. En arrivant à Berthier, j'ai découvert qu'il possédait une ferme, où il vit, à environ quinze milles au sud ouest du village. » Rien ne put le convaincre de partir.

La correspondance avec M. Morrison en 1851 et 1852 est fort volumineuse et le Dr Beaumont offrit à Alexis 500 $ pour l'année avec, en plus, un appoint pour subvenir aux besoins de sa famille. À un moment donné, il accepta, mais l'hiver était trop avancé et il ne put pas partir.

La dernière lettre de la série est en date du 15 octobre 1852. C'est une lettre du Dr Beaumont à Alexis, qu'il appelle Mon Ami. Deux phrases valent la peine d'être citées :

> « Sans tenir compte des efforts et des déceptions du passé—ou de l'espoir de jamais obtenir à nouveau vos services dans le but de faire des expériences, etc., selon les propositions jusqu'ici faites et suggérées, je vous offre

maintenant, en toute bonne foi et sincérité, de nouvelles, et espérons le, satisfaisantes conditions pour vous permettre de répondre avec promptitude et fidélité à mon plus fervent désir de vous avoir de nouveau avec moi—non seulement pour ma seule satisfaction et le bénéfice de la science médicale, mais aussi pour le bien être présent et futur de votre propre famille. » Et il termine avec, « Je ne puis en dire plus, Alexis—vous savez ce que j'*ai fait* pour vous depuis plusieurs années— ce que j'ai essayé, et ce que je suis toujours soucieux et désireux de faire avec vous et pour vous— les efforts, les angoisses, les attentes et les déceptions qui ont été les miens parce que vous n'avez pas répondu à mes attentes. Ne me désappointez plus et ne laissez pas se perdre les bontés et les bienfaits qui vous sont réservés. »

Le compte rendu des expériences souleva un tel intérêt qu'on suggéra à Beaumont d'emmener Alexis en Europe pour le soumettre à une série plus poussée d'observations qui seraient menées par des physiologistes renommés. Dans une lettre du 10 juin 1833, il écrit : « Je vais l'engager pour cinq ou six ans s'il est d'accord, ce dont je ne doute pas. Il s'est toujours plu à l'idée d'aller en France. Je suis très heureux que M. Livingston souhaite que nous allions à Paris. Je vais prendre en sérieuse considération l'intérêt qu'il porte au sujet et je prendrai les meilleurs arrangements possibles pour respecter ses vues et les vôtres. » M. Livingston, le ministre américain, écrivit de Paris, le 18 mars 1834, pour laisser savoir qu'il avait soumis le travail à Orfila et à l'Académie des Sciences, qui avait nommé un comité pour déterminer si des expériences supplémentaires étaient nécessaires et s'il était opportun d'aller chercher Alexis en Amérique. Rien, je crois, de tout cela ne se concrétisa et, en autant que j'ai pu le vérifier, Alexis n'alla pas à Paris. D'autres tentatives furent faites pour le soumettre à d'autres études. En 1840, un étudiant du Dr Beaumont, George Johnson, alors à l'Université de Pennsylvanie, écrivait que le Dr Jackson lui avait parlé des efforts faits pour amener Alexis à Londres et que le Dr Gibson l'avait informé que la Société médicale de Londres avait recueilli 300 £ ou 400 £

---

* *Medical Examiner*, 1856 et *Experiments on Digestion*, Philadelphie, 1856.

pour convaincre St Martin de venir et que lui-même, le Dr Gibson, avait essayé de trouver St Martin pour ses amis londoniens. Il existe des lettres de la même année du Dr R. D. Thomson, de Londres, au Professeur Silliman, l'incitant à faire les arrangements nécessaires pour que le Dr Beaumont et Alexis viennent à Londres. En 1856, St Martin fut gardé en observation à Philadelphie par le Dr Francis Gurney Smith qui fit part d'une brève série d'expériences. En autant que je sache, c'est le seul autre compte rendu qui existe à son sujet.*

St Martin eut à subir bien des taquineries à propos du trou qu'il avait dans le flanc. Ses camarades l'appelaient « l'homme avec un couvercle sur l'estomac ». Dans son discours commémoratif, M. C.S. Osborn de Sault Sainte Marie rapporte que Mlle Catherwood raconte une histoire à propos d'Etienne St Martin qui s'était battu avec Charlie Charette parce qu'il ridiculisait son frère. Étienne l'avait gravement poignardé et avait juré qu'il tuerait toute la bande si on ne cessait de se moquer de l'estomac de son frère.

À un certain moment, St Martin voyagea ici et là pour montrer sa blessure à des médecins, à des étudiants en médecine et à des sociétés médicales.

Dans un exemplaire des travaux de Beaumont, appartenant autrefois à Austin Flint fils et maintenant en la possession d'un médecin de Saint Louis, il y a une photographie d'Alexis envoyée au Dr Flint. On a affirmé qu'il était allé en Europe, mais je n'ai pu trouver aucune confirmation écrite qu'il y soit allé.

Mon intérêt pour St Martin a été celui d'un professeur de physiologie, faisant mention à chaque session de l'impressionnante blessure et montrant le livre de Beaumont avec son illustration. Au printemps de 1880, alors que j'habitais encore à Montréal, je vis dans les journaux un avis de son décès à Saint Thomas. J'écrivis aussitôt à un médecin et au curé de la paroisse, les priant de me faire obtenir le privilège d'une autopsie et offrant une bonne somme pour l'estomac que je convenais d'installer au Musée médical de l'Armée à Washington. Ce fut en vain. Subséquemment, grâce à la gentillesse du juge Baby, j'appris les détails suivants sur les dernières années de la vie de St Martin. Le juge Baby écrit ce qui suit à son ami, le Dr D.C. MacCallum, de Montréal:

« Il me fait grand plaisir de vous faire parvenir aujourd'hui les renseignements que M. Chicoine, Curé de Saint Thomas, vient de me remettre au sujet de St Martin. Alexis Bidigan, dit Saint Martin, est décédé à Saint Thomas de Joliette le 24 juin 1880, et a été inhumé dans le cimetière de la paroisse le 28 du même mois. Les derniers sacrements de l'Église catholique lui ont été administrés par le Curé Chicoine qui a aussi célébré son service funèbre. Le corps était alors dans un état de décomposition si avancé qu'il n'a pu être placé dans l'église durant le service mais a dû être laissé à l'extérieur. La famille a rejeté toutes les requêtes—quelque insistantes qu'elles aient pu être—de la part des membres de la profession médicale pour procéder à une autopsie et a conservé le corps à la maison beaucoup plus longtemps que normalement et ceci, en pleine vague de chaleur. La dépouille s'est donc décomposée et les médecins d'ici et d'ailleurs ont été déroutés. La famille a de plus fait creuser la fosse à une profondeur de huit pieds pour empêcher toute tentative d'exhumation. St Martin avait 83 ans quand il est mort, laissant une veuve dont le nom de jeune fille était Marie Joly. Elle lui a survécu pendant près de sept ans et est décédée à Saint Thomas le 20 avril 1887 à l'âge très avancé de 90 ans. Ils ont laissé quatre enfants, encore vivants—Alexis, Charles, Henriette et Marie.

« J'aimerais maintenant ajouter quelques détails personnels. J'ai dû connaître St Martin quelques années avant sa mort. Une poursuite judiciaire l'avait amené à mon bureau ici à Joliette. J'ai été saisi de ses intérêts; il est venu à mon bureau plusieurs fois, me parlant avec force détails de sa vie passée, des circonstances de sa blessure, de ses pérégrinations à travers l'Europe et les États Unis, etc. Il m'a montré sa blessure. Il se plaignait avec amertume de certains docteurs qui avaient terriblement abusé de lui mais parlait de certains autres avec bienveillance. Il avait fait énormément d'argent durant ses tournées, mais l'avait dilapidé, surtout dans les vieux pays. Quand j'ai fait sa connaissance, il vivait pauvrement sur une petite ferme minable à Saint Thomas; il était esclave de l'alcool, presque un ivrogne, pourrait on dire. C'était un homme grand et mince, avec le teint très foncé et il m'a alors paru d'humeur morose. »

II. LE LIVRE

Au cours des quatre périodes durant lesquelles Alexis fut le sujet d'étude de Beaumont et fut sous ses soins, une vaste série d'observations fut enregistrée, 238 au total. Un compte rendu préliminaire du cas et du premier groupe d'observations parut dans le *Philadelphia Medical Recorder* en janvier 1825. Durant le séjour à Washington en 1832, l'importance des observations avait fait forte impression sur le directeur du Service de santé publique, le Dr Lovell, qui semble avoir agi avec beaucoup de générosité et de bonté. Beaumont tenta de le convaincre de prendre en mains le déroulement des observations, mais Lovell insista pour qu'il fasse le travail lui-même. Au printemps 1833, on emmena Alexis à New York pour le montrer à d'éminents membres de la profession et M. King fit des dessins très précis et des croquis en couleur de la blessure. Une note d'information au sujet de l'ouvrage fut émise et fut distribuée par le directeur du Service de santé publique qui parle, dans une lettre, de la faire parvenir au Dr Franklin Bache et au Dr Steward de Philadelphie. Dans une autre lettre du Dr Bache au Dr Beaumont accusant réception d'une bouteille de liquide gastrique, Bache annonce qu'il a laissé la note d'information au magasin de M. Judah Dobson et a sollicité des souscripteurs. Beaumont n'aima pas beaucoup New York. Il se plaignait de la difficulté qu'il avait à exécuter ses travaux, à cause d'obligations sociales contrariantes. Il demanda la permission d'aller à Plattsburg de manière à pouvoir compléter son livre. Après s'être informé des modalités de publication à New York et à Philadelphie, il décida, puisque l'ouvrage devait être publié à ses propres frais, qu'il pouvait faire tout aussi bien et à bien meilleur compte à Plattsburg, où il pourrait en plus bénéficier des conseils et de l'aide de son cousin, le Dr Samuel Beaumont. Dans une lettre au directeur du Service de santé publique en date du 10 juin 1833, il accuse réception de la permission d'aller à Plattsburg et il dit : « Je vais faire les arrangements pour me rendre à Pl. dans environ une semaine afin d'accélérer la réalisation du Livre. Je suis en train de faire graver ici les dessins faits par M. King. »

L'été se passa à faire une nouvelle série d'expériences et à voir à l'impression du livre. Le 3 décembre, il écrivit au directeur du Service de santé publique pour le laisser savoir que le livre serait prêt à être distribué quelques jours plus tard et que 1 000 exemplaires seraient imprimés.

L'ouvrage consiste en un volume in-octavo de 280 pages intitulé *Experiments and Observations on the Gastric Juice and the Physiology of Digestion*, par William Beaumont, M.D., Chirurgien de l'Armée des États Unis, Plattsburg, Imprimé par F.P. Allen, 1833. Quoique le livre soit soigneusement imprimé, le papier et les caractères utilisés laissent à désirer et on ne peut que regretter que Beaumont n'ait pas suivi les conseils du Dr Franklin Bache qui lui recommandait fortement de ne pas faire imprimer son ouvrage à Plattsburg mais plutôt à Philadelphie où on ferait un meilleur travail. La dédicace adressée à Joseph Lovell, M.D., Chirurgien-Général de l'Armée des États-Unis, fait mention en termes plutôt élogieux de la dette que Beaumont estimait devoir à son supérieur. Celui ci accepte le compliment et les généreux sentiments, tout en caractérisant la dédicace de « quelque peu apocryphe ».

L'ouvrage est divisé en deux parties principales; la première comprend les observations préliminaires sur la physiologie générale de la digestion en sept sections : Section I, De l'alimentation; Section II, De la faim et de la soif; Section III, De la satisfaction et de la satiété; Section IV, De la mastication, salivation et déglutition; Section V, De la digestion par le suc gastrique; Section VI, De la couche villeuse et des mouvements de l'estomac; Section VII, De la chylification et des utilisations de la bile et du liquide pancréatique. La seconde partie de l'ouvrage est plus importante et consiste en un compte rendu détaillé des quatre séries d'expériences et d'observations. Le livre se termine par une série de cinquante et une conclusions tirées des expériences et observations précédentes.

L'histoire subséquente du livre lui-même ne manque pas d'intérêt et on peut en dire un mot ici. En 1834, des exemplaires de l'édition de Plattsburg, imprimée par F.P. Allen, furent distribués par Lilly, Wait & Co., de Boston.

Dans la correspondance de Beaumont, il y a de nombreuses lettres d'un Dr McCall, d'Utica, dans l'état de New York, qui était un ami intime de M. William Combe, frère de l'écrivain populaire et physiologiste bien connu, le Dr Andrew Combe, d'Édimbourg. C'est sans doute par cet intermédiaire qu'en 1838 le Dr Combe publia une édition en Écosse, avec de nombreuses notes et commentaires.

La deuxième édition fut publiée à Burlington, au Vermont, en 1847, avec la même page de titre. Cependant, après la mention *Second Edition*, on avait ajouté les mots : *Corrected by Samuel Beaumont, M.D.*. Samuel Beaumont était le cousin de William Beaumont. Dans la préface de cette édition, on faisait mention que la première édition, pourtant de 3 000 exemplaires, était épuisée. Cela ne correspond pas à ce qui avait été écrit au Chirurgien-Général le 3 décembre 1833 alors qu'on avançait que l'édition originale devait comprendre 1 000 exemplaires. Évidemment d'autres exemplaires ont pu être imprimés entre-temps. Même s'il est mentionné qu'il s'agit d'une nouvelle édition améliorée, en autant que j'ai pu le constater, c'est une réimpression intégrale, sans observations supplémentaires, mais avec bon nombre de corrections mineures.

Une édition en allemand fut publiée en 1834 sous le titre suivant : *Neue Versuche und Beobachtungen über den Magensaft und die Physiologie der Verdauung, auf eine höchst merkwürdige Weise während einer Reihe von 7 Jahren an einem und demselben Subject angestellt*. La communication antérieure de Beaumont, déjà mentionnée, parut sous forme de résumé dans le *Magazin der ausländischen Litteratur der gesammten Heilkunde*, Hambourg, 1826, et aussi dans les *Archives générales de Médecine*, Paris, 1828. Je n'ai pas pu trouver s'il y avait eu une édition française de l'ouvrage.

Les *Experiments and Observations* ont attiré l'attention de tous, au pays comme à l'étranger. Les revues de l'époque contiennent des comptes rendus complets de l'ouvrage et, en quelques années, ces précieuses additions à nos connaissances se sont retrouvées dans les manuels de physiologie qui, encore aujourd'hui, dans certaines descriptions du liquide gastrique et du phénomène de la digestion, reproduisent le langage même de l'ouvrage.

III. LA VALEUR DES OBSERVATIONS DE BEAUMONT

Il y avait eu d'autres exemples de fistules gastriques artificielles pratiquées chez l'homme qui avaient été le sujet d'études expérimentales. Cependant, le cas de St Martin se distingue de tous les autres par l'habileté et le soin avec lesquels les expériences ont été faites. Comme le fait remarquer le Dr Combe, la grande valeur de ces expériences vient en partie des circonstances exceptionnelles dont jouissait Beaumont pour ses observations et en partie aussi de l'esprit de sincérité et de recherche de la vérité avec lequel toutes ses recherches semblent avoir été conduites. « Il serait difficile de trouver un observateur capable de le surpasser dans son attachement à la vérité et son indépendance vis-à-vis de la théorie ou du préjugé. Il raconte avec simplicité ce qu'il a vu et laisse à chacun le soin de tirer ses propres conclusions ou, s'il émet des conclusions, il le fait avec une modestie et une honnêteté dont peu de gens seraient sans doute capables dans les mêmes circonstances. »

Pour apprécier la valeur des études faites par Beaumont, reportons nous pendant quelques instants aux connaissances que nous avions de la physiologie de la digestion en 1832, date de la publication du livre. Prenez, par exemple, « The Work on Human Physiology » (publié la même année que l'ouvrage de Beaumont) de Dunglison, un homme de grand savoir et très au courant de la littérature sur le sujet. On traite dans cet ouvrage des cinq ou six vieilles théories de la digestion—concoction, putréfaction, trituration, fermentation et macération—et on y reprend la remarque laconique de William Hunter, « certains physiologistes soutiennent que l'estomac est un moulin, d'autres, que c'est une cuve de fermentation, d'autres encore, que c'est un chaudron; mais, à mon avis, ce n'est ni un moulin, ni une cuve de fermentation, ni un chaudron; mais un estomac, messieurs, un estomac. »

À ce moment-là, la théorie de la solution chimique était acceptée. Elle avait été validée par les expériences de Réaumur, Spallanzani et Stevens, tandis que les travaux de Tiedemann et Gmelin ainsi que ceux de Prout avaient beaucoup contribué à résoudre les problèmes de la chimie du liquide. Il y avait cependant encore beaucoup d'incertitude quant aux phénomènes se produisant au cours de la digestion dans l'estomac, au mode précis d'action du liquide, à la nature même du liquide et à son action en dehors de l'organisme. Sur tous ces points, les observations de Beaumont apportèrent clarté et lumière, là où n'avait régné auparavant que la plus grande obscurité.

Ce qui suit peut être considéré comme l'essentiel des observations de Beaumont. Mentionnons en premier lieu, l'exactitude et l'exhaustivité de la description du liquide gastrique lui-même. Vous reconnaîtrez tous la citation suivante, que l'on retrouve dans les manuels et qui est acceptée encore aujourd'hui :

> « Le suc gastrique pur, lorsqu'il est prélevé directement de l'estomac d'un adulte en santé, non mélangé à aucun autre fluide, à part une partie du mucus de l'estomac avec lequel il est très couramment et peut-être toujours combiné, est un liquide clair, transparent, inodore, un peu salin, et très perceptiblement acide. Son goût, lorsqu'il est appliqué sur la langue, est semblable à une eau mucilagineuse légèrement acidulée avec de l'acide muriatique. Il est facilement soluble dans l'eau, le vin ou l'eau de vie; il entre légèrement en effervescence avec les alcalis et c'est un solvant efficace des *materia alimentaria*. Il possède la propriété de coaguler l'albumine à un haut degré; c'est un antiseptique puissant, enrayant la putréfaction de la viande; il a une action de restauration efficace de la santé lorsqu'il est appliqué sur de vieilles plaies fétides et sur des surfaces infectes et ulcéreuses. »

En deuxième lieu, la confirmation de l'observation de Prout à l'effet que l'acide important dans le suc gastrique est l'acide muriatique ou chlorhydrique. Une analyse du suc gastrique de St Martin fut faite par Dunglison, alors professeur à l'Université de Virginie, et par Benjamin Silliman, de Yale, qui tous deux établirent la présence d'acide chlorhydrique libre. Un échantillon fut envoyé à l'éminent chimiste suédois Berzelius, dont le rapport n'arriva cependant pas à temps pour être inclus dans le livre. Dans une lettre du 19 juillet 1834, ce dernier écrit au Professeur Silliman pour lui annoncer qu'il n'a pas été capable de faire une analyse satisfaisante du liquide. La lettre est publiée dans le *Silliman's Journal*, vol. xxvii, juillet 1835.

En troisième lieu, la reconnaissance du fait que les éléments essentiels du suc gastrique et du mucus sont des sécrétions distinctes.

En quatrième lieu, la constatation par observation directe de la profonde influence des perturbations d'ordre psychique sur la sécrétion du suc gastrique et sur la digestion.

En cinquième lieu, une étude comparative plus précise et plus complète de la digestion dans l'estomac et de la digestion hors de l'organisme, confirmant ainsi, par une série plus élaborée d'expériences, les observations antérieures de Spallanzani et de Stevens.

En sixième lieu, la réfutation de nombreuses opinions erronées au sujet de la digestion gastrique et l'établissement d'un certain nombre de points mineurs, mais de grande importance, comme, par exemple, la disparition rapide de l'eau, de l'estomac au pylore, un point déjà noté dans des expériences récentes, mais soutenu et amplement prouvé par Beaumont.

En septième lieu, la première étude minutieuse et complète des mouvements de l'estomac, observations sur lesquelles repose, en fait, la majeure partie de nos connaissances actuelles.

Et, en dernier lieu, une étude de la digestibilité de divers aliments dans l'estomac, étude qui demeure l'une des plus importantes contributions jamais faites à la diététique pratique.

Beaumont fait constamment référence à la grande rapidité avec laquelle les aliments solides sont digérés, aux effets nuisibles sur l'estomac du thé et du café, lorsque consommés avec excès, et à l'influence pernicieuse des boissons alcooliques sur la digestion. Un point extrêmement pratique soulevé par Beaumont mérite qu'on le réitère avec insistance à la présente génération :

> « Le système requiert beaucoup moins qu'on ne lui fournit généralement. L'estomac n'opère que sur une quantité définie. Quand on ingère plus que ce que les besoins de l'économie exigent, le résidu reste dans l'estomac, devient une source d'irritation et provoque une aberration subséquente de la fonction, ou passe dans l'intestin à l'état non digéré et lui transmet sa nuisible influence. La dyspepsie est plus souvent due à des abus alimentaires ou d'alcool qu'à toute autre cause. »

En étudiant les expériences de Beaumont, on reste aussi impressionné par la modestie avec laquelle il fait référence à ses propres travaux. Il se décrit comme un humble « chercheur de la vérité et un simple expérimentateur ».

« Il existe sans doute d'honnêtes objections à la doctrine de la digestion par le suc gastrique. Qu'elles soient formulées par ces messieurs, je n'en doute aucunement. Et je leur concède volontiers le mérite d'une grande ingénuité, de grands talents et d'un certain savoir en s'objectant à l'hypothèse communément reçue; je reconnais aussi leur capacité à s'en tenir à leurs opinions particulières. Mais nous ne devrions pas nous laisser séduire par l'ingénuité de l'argumentation ni par les flatteries du style. La vérité, comme la beauté, est "au mieux parée quand elle n'est pas parée"; et en poursuivant ces expériences et ces recherches, je crois que j'ai été guidé par sa lumière.

Les faits sont plus convaincants que les arguments, même les plus ingénieux, et, grâce à leur éloquence, j'espère que j'ai été capable de plaider pour l'appui et le maintien des doctrines qui ont eu pour défenseurs des hommes comme Sydenham, Hunter, Spallanzani, Richerand, Abernethy, Broussais, Philip, Paris, Bostock, les maîtres de Heidelberg et de Paris, Dunglison et une multitude d'autres sommités de la science de la physiologie. »

En réalité, Beaumont a devancé certaines des plus récentes études sur la physiologie de la digestion. Plusieurs d'entre vous ont sans aucun doute entendu parler des nouveaux travaux du Professeur Pavlov, de Saint Pétersbourg, sur le sujet. Ils ont été traduits en allemand et je viens d'apprendre qu'on en annonce une édition anglaise. Il a étudié le suc gastrique grâce à une poche, pratiquée dans le fundus de l'estomac d'un chien, d'où il pouvait recueillir le liquide à l'état pur. L'un des premiers résultats qu'il a obtenus est le tout premier décrit par Beaumont et confirmé par des douzaines d'observations sur St Martin, à savoir, comme il le dit, que « le suc gastrique ne semble jamais s'accumuler dans la cavité stomacale à l'état de jeûne. » Pavlov a clairement démontré qu'il y a un rapport entre la quantité d'aliments ingérés et la quantité de suc gastrique sécrété. Beaumont est arrivé à la même conclusion : « à la réception de la nourriture, le suc est fourni en proportion exacte des exigences pour la dissolution. » Un troisième point que soulève Pavlov est la courbe de sécrétion du suc gastrique, la façon dont il est déversé au cours de la digestion. Il a démontré que la sécrétion la plus abondante se produisait dans les premières heures. À ce sujet, écoutons Beaumont: « Il (le suc gastrique) commence alors à exsuder des vaisseaux en question et augmente en proportion de la quantité de nourriture naturellement requise et reçue. » Il écrit encore : « Quand l'estomac reçoit une quantité modérée de nourriture, il est probable que toute la quantité de suc gastrique nécessaire pour sa mise en solution est sécrétée et incorporée rapidement. » Un quatrième point, magnifiquement établi par Pavlov, est l'adaptation du suc à la nature de l'aliment; je n'en vois aucune mention chez Beaumont, mais il n'y a pas de meilleures expériences que celles dans lesquelles il traite de l'influence de l'exercice, du temps qu'il fait et des émotions sur la quantité de suc sécrété.

IV. L'HOMME ET LE MÉDECIN

La vie du Dr Beaumont a été évoquée à différentes reprises. Mentionnons entre autres l'excellente notice biographique du Dr T. Reybum dans le *St. Louis Medical and Surgical Journal* de 1854. Le Dr A. Steele a également relaté de façon pittoresque l'histoire de la vie de Beaumont lors de la première remise des diplômes au Beaumont Medical College, en 1857. Il y a quelques années, le Dr. Frank J. Lutz, de Saint Louis, a lui aussi donné un aperçu de la vie de Beaumont lors de la réunion de la Société médicale de l'État du Michigan à l'occasion de la dédicace d'un monument à la mémoire de Beaumont.

Parmi les documents que la sœur du Dr Beaumont, Mme Keim, a bien voulu m'envoyer, il existe de nombreuses notes autobiographiques qui portent particulièrement sur ses premières années d'études et sur son travail comme chirurgien durant la Guerre de 1812. Il y a aussi un excellent document écrit, dit-on, par son fils, qui résume la première partie de sa vie. Pour autant que je sache, ce texte n'a pas été publié et je le reproduis ici intégralement :

> « Le Dr William Beaumont est né dans la ville de Lebanon, au Connecticut, le 21e jour de novembre 1785. Son père était un fermier prospère et un politicien engagé

de la vieille et fière école de Jefferson qui se targuait de son indéfectible apport et de sa stricte adhérence aux principes d'honnêteté qu'il prêchait. William était son troisième fils; à l'hiver de 1806-1807, dans sa vingt deuxième année, poussé par un esprit d'indépendance et d'aventure, il quitta le toit paternel à la recherche de la fortune et d'un nom. Il n'avait avec lui qu'un cheval et une carriole, un baril de cidre et cent dollars durement gagnés. C'est ainsi qu'il se mit en route, en direction du nord, sans destination précise, avec l'Honneur pour mot d'ordre, la Vérité pour repère et avec une confiance implicite dans le Ciel. Après avoir traversé la partie ouest du Massachusetts et du Vermont au printemps de 1807, il arriva dans le petit village de Champlain, dans l'état de New York, à la frontière canadienne—un parfait étranger, seul et sans amis. Mais l'honnêteté des intentions et la vraie énergie donnent invariablement de bons résultats. Il gagna rapidement la confiance des gens qui lui confièrent l'école du village. Il dirigea cette école pendant environ trois ans et, pendant ce temps, consacra tous ses moments de loisirs à l'étude de travaux de médecine qu'il puisait dans la bibliothèque de son premier maître, le Dr Seth Pomeroy. Il alla ensuite à St. Albans, au Vermont, où il entra au cabinet du Dr Benjamin Chandler et entreprit un cours régulier de lectures médicales, qu'il suivit pendant deux ans, gagnant la plus grande confiance et la plus haute estime de son bon précepteur et de ses amis. C'est à peu près à ce moment-là que commença la Guerre de 1812 et il postula avec succès un poste dans l'armée américaine. Il fut nommé chirurgien adjoint à la Sixième Infanterie et rejoignit son régiment à Plattsburg, dans l'état de New York, le 13 septembre 1812. Le 18 mars 1813, il alla avec la Première Brigade de Plattsburg à Sackett's Harbour où ils arrivèrent le 27. Il y resta jusqu'au 22 avril alors qu'il embarqua avec les troupes sur le lac Ontario. Son journal décrira mieux cette partie de son histoire :

« "Le 22 avril 1813—Ai embarqué avec les Capitaines Humphreys, Walworth et Muhlenburg et compagnie, à bord de la goélette Julia. Le reste de la brigade, et le Second, avec le Régiment des Fusiliers Foresith et la Huitième Artillerie—à bord d'un voilier, d'un brick et d'une goélette—demeurent au port jusqu'à demain matin.

« "Le 23—11 heures du matin—Levons l'ancre et gagnons le large avec l'impression que nous allons à Kingston. Avons navigué 15 ou 20 milles—avons affronté une tempête—vent devant et la flotte est revenue au port.

« "Le 24—6 heures du matin—Mettons les voiles avec un bon vent—doux et agréable—la flotte naviguant en bon ordre.

« "Le 26—Vent plutôt violent—augmentant de force—grosses vagues qui secouent violemment nos vaisseaux. À quatre heures et demie, avons passé l'embouchure de la rivière Niagara. Les circonstances déjouent l'imagination quant à notre destination— avons d'abord l'impression que nous allons à Kingston— puis à Niagara—mais maintenant notre destinations doit sûrement être « Little York ». Au coucher du soleil, sommes arrivés en vue de Yorktown et du Fort et jetons l'ancre, à 2 ou 3 lieues, pour la nuit.

« "Le 27—Sommes entrés dans le port et avons jeté l'ancre en aval de la garnison anglaise. Avons rempli les embarcations et mis pied à terre, non sans difficulté et non sans perte d'hommes. Les Anglais ont dirigé leurs troupes vers la plage pour nous intercepter au moment du débarquement et, bien qu'ils aient eu tous les avantages, ils n'ont pu réaliser leur dessein. Un engagement violent s'est ensuivi pendant lequel l'ennemi a perdu près du tiers de ses hommes et a bientôt été forcé d'abandonner le terrain, laissant ses morts et ses blessés éparpillés un peu partout. Les Anglais se sont retranchés dans la garnison, mais avec les pertes qu'ils avaient subies au cours de l'engagement, et compte tenu du courage déterminé de nos hommes et du feu nourri de notre flotte, avec ses canons de 12 et 32 livres, ils ont bientôt été obligés d'évacuer et de rapidement battre en retraite. Poussés à cette alternative, ils ont conçu le projet inhumain de faire sauter leur dépôt d'armes contenant 300 livres de poudre et cette explosion a presque anéanti notre armée. Plus de 300 hommes ont été blessés et une soixantaine ont été tués sur le champ par des pierres de toutes dimensions qui tombaient, comme une pluie de grêle, au milieu de nos rangs. Une scène encore plus pénible s'ensuivit à l'hôpital. On n'entendait que des gémissements d'agonie et des supplications des blessés et des mourants. Les chirurgiens pataugeaient dans le sang, amputant des bras et des jambes et trépanant des crânes, au milieu des cris des pauvres victimes, « Ô, mon Dieu, docteur, délivrez-moi de ce supplice. Je ne peux plus vivre!» C'était assez pour toucher le plus dur des coeurs d'acier et pour émouvoir le plus implacable des sauvages. Imaginez cette scène affreuse où vos semblables sont étendus estropiés, les jambes écrasées, les bras fracturés, les têtes et les corps meurtris et mutilés au point d'être complètement méconnaissables! J'éprouvais une profonde compassion—j'ai coupé et taillé pendant 36 heures sans manger ni dormir.

« "Le 29—Ai pansé plus de 50 patients—de simples contusions aux pires fractures multiples—ces dernières comptant pour plus de la moitié. Ai fait deux amputations et une trépanation. À minuit, je suis allé me coucher pour me reposer le corps et l'esprit. "

« Un mois après la prise de York, il fut témoin de la prise d'assaut de Fort George. Les troupes furent transportées de York au "Four Mile Creek" (dans le voisinage de Fort George) où elles campèrent du 10 au 27 mai, date à laquelle elles se lancèrent à l'attaque. Son journal se lit comme suit :

« "Le 27 mai (1813)—Avons embarqué à l'aube—Le Colonel Scott et ses 800 hommes en avant-garde, appuyés par la Première Brigade, commandée par le Général Boyd, ont avancé avec la flotte jusqu'à la rive ennemie et, en dépit de tirs nourris, ont mis pied à terre avec un succès surprenant, ne perdant pas plus de 30 hommes dans l'engagement, et ce, malgré la position fort avantageuse de la force ennemie. Nous les avons délogés de leur poste choisi—les avons chassés du pays et avons pris possession de la ville et de la garnison."

« Le 11 septembre 1814, il était à la bataille de Plattsburg, toujours en tant que chirurgien adjoint, mais exécutant en fait toutes les tâches d'un chirurgien de plein rang. À la fin de la guerre, en 1815, quand l'armée fut dissoute, il resta en service mais démissionna bientôt, se jugeant injustement traité par le gouvernement qui avait accordé des promotions à d'autres chirurgiens, plus jeunes et moins expérimentés.

« En 1816, il s'installa à Plattsburg et y demeura quatre ans avec un cabinet florissant. Entre temps, ses amis de l'armée l'avaient persuadé de joindre à nouveau leurs rangs et, après avoir fait sa demande, il fut réengagé et assigné au Fort Mackinac comme chirurgien en poste. À la fin de la première année, il obtint une permission, retourna à Plattsburg et épousa l'une des plus aimables et intéressantes dames de l'endroit. (Elle a survécu à son célèbre mari, vit encore et, dans la verdeur de son vieil âge, est adorée de tous ceux qui la connaissent.) Il revint à Mackinac la même année et, en 1822, prit possession d'Alexis St Martin, le sujet de ses Expériences sur le suc gastrique. Son fusil s'étant accidentellement déchargé pendant qu'il chassait, St Martin s'était dangereusement blessé à l'abdomen et avait été traité par le Dr Beaumont qui avait réussi à guérir la blessure (en soi un triomphe d'habileté quasi inégalé) et qui, en 1825, commença une série d'expériences dont les résultats se verraient publiés à travers le monde. Ces expériences se poursuivirent, avec diverses interruptions, pendant huit ans alors qu'il était affecté de poste en poste—d'abord à Niagara, dans l'état de New York, plus tard à Green Bay, au Michigan, et finalement au Fort Crawford sur le Mississipi. En 1834, il fut assigné à Saint Louis où il demeura en service jusqu'en 1839, année de sa démission. Il commença alors à exercer sa profession auprès des citoyens de Saint Louis et, à partir de ce moment, jusqu'à moment où il tomba malade, il jouit d'un cabinet prospère et distingué. Sa quiétude ne fut interrompue que par les basses attaques

de quelques disgracieux et malicieux valets (soi disant
membres de la profession médicale) qui cherchaient à
détruire une réputation qu'ils ne pouvaient partager. Il
n'y ont rien gagné, si ce n'est une notoriété peu enviable,
et ont fui furtivement comme des loups affamés pour
aller mourir dans leurs repaires.»

Les dates des commissions de Beaumont dans l'armée sont les
suivantes : chirurgien adjoint, Sixième Régiment d'Infanterie, 2 décembre
1812; Cavalerie, 27 mars 1819; chirurgien en poste, 4 décembre 1819;
chirurgien du Premier Régiment et chirurgien, 6 novembre 1826.

Grâce aux esquisses biographiques de Reybum, de Steele et de Lutz,
ainsi qu'aux réminiscences personnelles de ses amis, le Dr J.B. Johnson, le
Dr S. Pollak et le Dr Wm. McPheeters (qui heureusement reste parmi vous,
avec ans et honneurs), nous avons une image assez claire des dernières
années de sa vie. C'est l'image d'un praticien fidèle, honnête et travailleur
qui accomplissait son devoir auprès de ses patients et oeuvrait avec
dévouement et talent dans l'intérêt   de sa profession. Le bon sens
remarquable dont il a fait preuve dans son travail expérimental en a fait un
bon médecin et un conseiller fiable dans les cas de chirurgie. Certaines de
ses lettres, en particulier celles à son cousin, le Dr Samuel Beaumont, nous
donnent des aperçus intéressants de sa vie. Le 4 avril 1846, il lui écrivait :
« J'ai un cabinet occupé, lucratif et qui ne cesse de
s'accroître. C'est beaucoup plus que ce dont je peux
m'occuper, bien que j'aie un assistant, le Dr Johnson, un
jeune homme qui a été un de mes élèves de 1835 à 1840.
Il est ensuite allé à Philadelphie pendant quelques années
pour suivre des cours et obtenir son diplôme, puis il est
revenu ici en 1842 et est très affairé depuis ce temps là.
Malgré tout, je dois refuser plus de clientèle en une
journée que la moitié des autres docteurs de la ville n'en
voient en une semaine. Vous croyiez, lorsque vous êtes
venus, qu'il y avait trop de concurrence pour jamais
espérer réussir en affaires ici—il y en a dix fois plus
maintenant, et je n'en réussis que mieux. Vous devez
revenir avec une impression différente de celle que vous
aviez alors—bien déterminé à marcher sur mes traces et

à endiguer le courant que je saurai contenir pour vous. Je suis maintenant rendu au grand climatère de la vie, soixante ans et plus, avec autant ou même plus de zèle et d'habileté à faire le bien et à contribuer au service professionnel qu'à quarante-cinq ans. Je me réjouis à la perspective de remporter d'autres succès et d'être plus utile que jamais—j'ai tout ce qu'il faut pour subvenir à mes besoins et à ceux de ma famille et je ne vois pas l'avenir de façon lugubre ou redoutable. Je dois, bien sûr, lutter contre certaines adversités de la vie et plus particulièrement me défendre contre les viles jalousies professionnelles et les préjugés de certains, mais je réussis à triompher d'eux tous et à aller de l'avant en dépit d'eux. »*

Ses activités professionnelles se multiplièrent grâce à la croissance rapide de la ville mais il ressentait, même s'il était d'un âge avancé, cette douce joie de vivre qu'ici, dans l'ouest, vous avez l'occasion et le privilège de connaître à un degré que vos confrères de l'est atteignent rarement. Voici un paragraphe allègre d'une lettre du 20 octobre 1852 : « À la maison, tout est facile, paisible et plaisant. La santé de la communauté est bonne— pas d'incidence d'épidémies graves—temps remarquablement agréable— affaires de toutes sortes en pleine croissance—produits de la terre abondants—argent à profusion—chemins de fer progressant à une vitesse quasi télégraphique—j'espère faire tout le voyage à Plattsburg par rail l'an prochain, »

Mais, en fait, le travail devenait de plus en plus un fardeau pour cet homme qui approchait les soixante dix ans et il l'évoque dans une autre lettre quand il écrit : « Il existe une immense pratique professionnelle ici dans cette ville. J'en suis fatigué et j'ai essayé par tous les moyens de m'en écarter, mais plus j'essaie, plus il semble que les gens m'y attachent. Je me sens effectivement persécuté, inquiet et presque assommé par les sollicitations maladives, les gémissements hypochondriaques, les plaintes et les lamentations—Amen. »

---

* Il avait évidemment espéré que, lorsque son cousin et son fils arriveraient avec Alexis, ils pourraient organiser et planifier une autre série d'expériences et, au bout d'un an ou deux, écrire un autre livre, meilleur que le premier.

Il continua à travailler jusqu'en mars 1853 alors qu'il fut victime d'un accident—une chute en descendant quelques marches. Quelques semaines plus tard, un furoncle lui apparut dans le cou et devait lui être fatal. C'était le 25 avril. Quelqu'un qui l'a bien connu a écrit l'appréciation suivante à son sujet (citée par le Dr F.J. Lutz dans son portrait de Beaumont) :

> « Il était doté de solides pouvoirs naturels qui, alliés à une vaste expérience de la vie, avaient résulté en une espèce de sagacité naturelle qui, comme je l'imagine, était quelque chose de particulier chez lui et n'aurait pu être atteint seulement en étudiant. Il était d'un tempérament ardent, mais il ne se laissait jamais emporter au delà de son jugement instruit et discipliné, et, quel que fût son emploi, il adoptait sans exception les moyens les plus judicieux pour atteindre des fins qui étaient toujours honorables. Au chevet des malades, c'était un modèle de patience et de bonté; sa perception intuitive, guidant une pure bienveillance, ne manquait jamais d'inspirer la confiance et c'est ainsi qu'il appartenait à cette classe de médecins dont la seule présence offre à la Nature un précieux secours. »

Vous faites bien, citoyens de Saint Louis et membres de notre profession, de vénérer le souvenir de William Beaumont. Vous l'avez honoré et récompensé de son vivant et l'on ne peut vous reprocher d'avoir négligé quelque mérite ou ignoré quelque talent que ce soit. La profession du nord de l'État du Michigan s'est honorée elle-même en érigeant un monument à sa mémoire à proximité de l'endroit où il a travaillé de façon désintéressée pour la cause de l'humanité et de la science. Son nom est lié à l'une de vos institutions d'enseignement et est associé à un travailleur distingué dans un autre champ d'exercice. Mais il jouit d'un honneur beaucoup plus grand que tout ce que vous pouvez lui donner ici—un honneur qui ne peut être décerné que lorsque l'homme et l'occasion se rencontrent, et vont de pair. Beaumont est le pionnier des physiologistes du pays, le premier à avoir apporté une contribution importante et durable à la science. Ses travaux demeurent un modèle d'expérimentation, de recherche et d'investigation patiente et persévérante, et le plus grand hommage que l'on puisse lui rendre est de dire qu'il a été à la hauteur de l'idéal qu'il s'était donné et qu'il a lui même exprimé quand il disait : « La vérité, comme la beauté, est "au mieux parée quand elle n'est pas parée", et, en poursuivant ces expériences et ces recherches, je crois que j'ai été guidé par sa lumière. »[1]

---

[1] Quelques appendices plutôt longs, publiés dans la version originale, ont été omis dans la présente édition. (C.G.R.)

WILLIAM OSLER
ACCOMPAGNÉ DE
COLLÈGUES DE McGILL,
F.J. SHEPERD ET
GEORGE ROSS (ASSIS),
ENV. 1878

Tiré de la collection
personnelle de C.G. Roland

OSLER AU CHEVET
D'UN MALADE DANS
UNE SALLE DU
JOHNS HOPKINS,
ENV. 1904

Tiré de la collection
personnelle de C.G. Roland

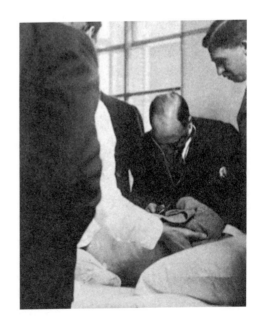

La croissance
d'une profession*

Le discours présidentiel d'Osler à l'Association médicale du Canada, « On the Growth of a Profession », a été publié à l'origine dans le *Canada Medical & Surgical Journal* (vol. 14, pages 129-155, 1885-1886).

MESSIEURS, Lorsque je m'en suis allé, l'an dernier, dans une autre partie de ce grand domaine dans lequel, sans distinction de race ou de pays, nous travaillons tous, vous avez eu l'obligeance, chers compagnons de travail, de me nommer, dans votre bonté, Président de l'Association. Si, dans le tumulte des pensées qui viennent spontanément à l'esprit, l'idée d'un tel honneur m'a un jour effleuré l'esprit, ce n'était en vérité qu'un infime point à l'horizon de l'ambition où pourraient me mener mes pas au fur à mesure que se déroulaient les années; mais il en a été décidé autrement, et comme des circonstances exceptionnelles m'ont placé dans une position exceptionnelle, il ne me reste plus qu'à solliciter votre indulgence dans l'exercice d'un mandat pour lequel certaines qualifications importantes semblent me manquer.

Laissez-moi, en premier lieu, vous dire jusqu'à quel point nous regrettons que l'Association n'ait pu respecter son programme et se réunir à Winnipeg, tel que prévu, mais avec Mars en ascendant et le général Hiver sur le sentier de la guerre, nos frères de la ville des Prairies ont jugé qu'il était préférable—et peut-être plus sûr—de remettre la réunion du Nord Ouest à une saison plus convenable, alors que la guerre au sinistre visage aura cessé de froncer les sourcils. Permettez moi cependant de vous dire comme nous sommes heureux de pouvoir nous rencontrer ici, à Chatham, parmi des hommes que nous connaissons bien, qui ont été si fidèles à l'Association, et dans un coin du pays où la profession compte tant de

* Discours prononcé lors de la 18e rencontre annuelle de l'Association médicale du Canada qui a eu lieu à Chatham, en Ontario, les 2 et 3 septembre 1885.

membres capables et diligents.

En cherchant un thème pour mon discours, j'avais pensé que, si nous nous réunissions à Winnipeg, un sujet traitant de croissance et de développement concorderait bien avec les progrès remarquables que le Nord-Ouest et sa capitale ont réalisés au cours de la dernière décennie. J'avais pensé qu'en traçant les grandes lignes selon lesquelles la profession devrait progresser dans un nouveau pays, la réunion pourrait contribuer au mouvement et stimuler à la fois la pensée et l'action, ce qui est souvent un des meilleurs résultats des rencontres de ce genre. Quand les circonstances ont fait en sorte qu'il a fallu changer le lieu de la réunion, il m'a semblé que mon sujet, auquel j'avais commencé à réfléchir, devait lui aussi changer; mais, à la réflexion, il était évident que les conditions prévalant dans les provinces plus anciennes ne représentaient qu'une étape plus avancée des conditions qui existent à Winnipeg et au Manitoba—le progrès devrait être notre mot d'ordre ici comme là bas, la croissance et le développement devraient être les caractéristiques essentielles de notre vie professionnelle, et, sur de tels sujets, je peux tout aussi bien m'adresser à vous en Ontario que dans le Nord Ouest. Je voudrais donc vous dire, le plus succinctement possible, où nous en sommes rendus et vous parler des méthodes que nous avons utilisées pour progresser. Dans certaines parties du Dominion, nous pouvons étudier la profession sous sa forme la plus simple; dans les Territoires du Nord Ouest, par exemple, elle n'a pas franchi le stade de l'amibe. Les docteurs y sont autant de créatures unicellulaires—des masses de protoplasme professionnel non différencié, sans organisation et sans activités fonctionnelles particulières. Ils ne peuvent même pas utiliser le mode de reproduction des rhizopodes, mais se multiplient par la méthode inorganique beaucoup plus rudimentaire de l'accrétion. Par contre, dans les provinces plus anciennes, les unités professionnelles se sont structurées, pour le bien de tous, en une sorte de polypide—la profession organisée—un grand progrès par rapport au stade de l'amibe; on y trouve des organes de reproduction connus sous le nom d'écoles de médecine, et il y a quelques indices d'un système nerveux—les sociétés médicales.

Les trois aspects de la croissance et du développement de la profession sur lesquels je désire attirer votre attention sont les suivants : (1) une profession organisée; (2) l'école de médecine; et (3) la société médicale:

La croissance d'une profession

1. Une profession organisée. Dans une communauté bien organisée, tout citoyen devrait avoir le sentiment qu'il peut, en tout temps, obtenir les services d'un homme qui a reçu une bonne formation dans la science et l'art de la médecine et entre les mains duquel il peut confier en toute sécurité la vie de ses proches et de ses êtres chers. Que l'État réglemente et établisse à quels individus le citoyen peut faire appel ne semble pas déraisonnable à la plupart des gens. Il y a certaines personnes, toutefois, qui ne voudraient admettre aucune restriction, qui seraient prêtes à laisser entière liberté et à permettre à la présomption et à l'audace d'avoir toute latitude et qui accorderaient à n'importe qui, sans formation particulière, le droit d'exercer la médecine. Tel n'a jamais été le cas au Canada. Les hommes qui, dans les premiers temps, sont venus ici pour exercer la médecine étaient surtout des diplômés anglais et écossais qui apportaient avec eux les traditions et les coutumes de la profession en Grande Bretagne. Un très grand nombre d'entre eux étaient des chirurgiens de l'armée, formés par un long entraînement à la méthode et à la discipline. Sans écoles de médecine, le seul recours pour un jeune homme désirant exercer la profession était soit d'aller outre mer, soit de faire son apprentissage auprès d'un praticien qui lui servirait de maître. Des bureaux d'inspection des diplômes, pour les jeunes hommes qui venaient de l'étranger, et d'examen, pour les jeunes gens qui avaient passé le temps requis auprès de précepteurs locaux, furent établis dans la vieille province de Québec en 1788 et dans le Haut Canada en 1815—dates à jamais mémorables dans l'histoire de la médecine au pays.

Il arrive souvent que les hommes ne sachent pas apprécier les bienfaits et les avantages dont ils jouissent. Ceux qui jouissent des meilleures conditions en sont souvent le moins conscients. C'est souvent ce que je pense de notre profession au Canada lorsque j'entends des murmures de mécontentement au sujet des Bureaux provinciaux. Comme ces Bureaux constituent une caractéristique particulière du système médical canadien, vous me permettrez de m'étendre quelque peu sur leur origine et leur rôle. Essentiellement, le Bureau provincial de médecine est un bureau d'enregistrement nommé par l'État, comme l'est en fait le British Medical Council de nos jours; mais ici, au début, avant la création d'écoles et d'universités, c'était aussi un organisme examinateur qui accordait des permis d'exercice. Ces dernières tâches furent cependant partiellement abrogées au fur et à mesure qu'apparurent les universités et le rôle du Bureau se limita alors plus ou moins à l'enregistrement des diplômes. Un changement important eut lieu quand ces Bureaux devinrent des organismes électifs, véritablement représentatifs de la profession. En Ontario, cette mesure fut sanctionnée par la Loi de 1866 et, au Québec, par celle de 1847. En Ontario, le mode de sélection est vraiment démocratique, les médecins de chaque district électoral choisissant leur candidat. Dans la province de Québec, on suit un mode plus compliqué et décidément moins populaire où chaque électeur vote non seulement pour le candidat de son district mais aussi pour les candidats de tous les autres districts. Comme les procurations sont permises, l'élection toute entière peut tomber entre les mains de n'importe quelle clique qui assemble le plus grand nombre de votes. Cette méthode est cependant condamnée à disparaître et fera bientôt place à la méthode plus populaire.

Il y a toujours eu une lutte entre les universités et les membres de la profession, représentés par les Bureaux provinciaux. Les universités ont toujours soutenu le droit de leurs diplômés d'exercer la médecine sans autre examen—un privilège encore accordé par la province de Québec. Mais les universités à charte royale ont fait encore plus dans le passé; elles se sont en effet opposées avec âpreté à la reconnaissance légale d'écoles de médecine indépendantes, comme en témoigne l'hostilité manifestée par l'Université McGill à l'endroit de l'École de médecine de Montréal et par l'Université de Toronto à l'endroit de l'École de médecine de Toronto. Une bonne part de cette opposition s'appuyait sur des motifs fort louables. Les opposants craignaient que l'avènement de nombreuses écoles indépendantes, qui auraient toutes le pouvoir d'accorder un droit d'exercice reconnu par les Bureaux provinciaux, engendre un commerce incontrôlé de diplômes, une baisse des normes et la ruine de la profession en tant que profession.

De la façon dont les Bureaux provinciaux sont présentement constitués, ils sont investis par la loi des pleins pouvoirs pour réglementer l'éducation médicale dans les provinces, déterminer les disciplines préliminaires qui sont requises, définir le contenu des programmes d'études et effectuer les changements qui, de temps à autre, semblent souhaitables. Quand nous considérons les conditions dans lesquelles nous vivons, ces ordonnances sont des plus avantageuses. Il y a dans le

Dominion onze écoles de médecine, dont plusieurs sont des corporations sans aucun contrôle, avec des facultés non redevables aux administrateurs, censeurs ou gouverneurs. Même dans les écoles qui font véritablement partie d'une université, les facultés sont partiellement ou entièrement indépendantes et il y a eu des cas où, pour obtenir une plus grande liberté, on a sacrifié les avantages des liens avec l'université. Le résultat inévitable d'une telle situation est une forte concurrence. Les étudiants sont peu nombreux, les écoles abondent; les dépenses sont lourdes, les recettes sont minces; la nature humaine est fragile. Ce qui s'ensuit, vous le devinez sans peine : il y a moins de restrictions, des incitations sont offertes, les normes baissent peu à peu, les mailles s'élargissent, les examens deviennent une farce et les écoles dégénèrent en moulins à diplômes où la cupidité des propriétaires l'emporte sur les meilleurs intérêts de la profession et la sécurité du public. Les abîmes dans lesquels une concurrence incontrôlée peut faire sombrer les propriétaires de certains établissements sont plus profonds que ce que tout être sain d'esprit peut imaginer. Ils remueront ciel et terre pour gagner des étudiants, auront recours à des moyens de sollicitation et d'incitation, à divers artifices et ruses qui paraîtraient louches même pour une compagnie d'assurances sur les morts. Une sorte de paralysie morale s'empare des propriétaires de telles écoles, ce que les théologiens appellent l'endurcissement du cœur; incapables de voir le bien, et encore moins de le faire, ils croient que le système dans lequel ils oeuvrent est le vrai et le bon et toute tentative de réforme devient presque désespérée. L'image n'est pas exagérée. Une concurrence sans entraves entre de nombreuses écoles engendre le libre échange des diplômes et le libre échange, dans ce sens, est synonyme d'homicide.

C'est d'une telle situation que les Bureaux provinciaux ont sauvé les écoles canadiennes. Les collèges se sont battus avec âpreté contre l'élargissement des pouvoirs de ces Bureaux, jaloux à l'extrême des droits acquis en vertu de leur charte. Trop souvent enclins à obstruer plutôt qu'à promouvoir une législation utile, ils ont trouvé, sans le savoir, la victoire dans la défaite. Le principe est solide et bien fondé; la profession unie d'un pays ou d'une province doit être la gardienne de son propre honneur; ceci est plus important que les écoles, qui n'en sont qu'une partie. Le contrôle de tout ce qui a trait à l'enseignement et à l'exercice de la médecine peut lui être confié en toute sécurité.

L'organisme professionnel légalement constitué dans chacune des provinces du Canada est connu sous diverses appellations tels le « Collège des médecins et chirurgiens », le « Conseil médical » ou le « Bureau provincial de médecine ». Comme vous le savez, en vertu de l'Acte de la Confédération, chaque province a la liberté de réglementer ses propres affaires en éducation. Au cours des dix ou douze dernières années, il s'est effectué des changements si importants, en particulier dans les plus anciennes provinces de l'Ontario et du Québec, que ces Bureaux sont vraiment en train d'atteindre le stade de l'efficacité.

En ce qui regarde la formation, le Bureau idéal devrait accomplir les tâches suivantes : 1° Évaluer chez les jeunes gens l'aptitude à entreprendre l'étude de la médecine; 2° Établir un programme d'études conformes aux besoins du pays et aux exigences de la médecine moderne; 3° Garder le contrôle absolu des examens menant au droit d'exercice. Sur chacun de ces points, je me propose de faire quelques remarques en me rapportant particulièrement aux conditions actuelles :

1. La formation préliminaire et l'immatriculation. Il existe un système tout à fait satisfaisant dans la plupart des provinces et tout jeune homme, avant d'entreprendre l'étude de la médecine, doit faire la preuve que son éducation générale lui permettra de poursuivre de façon intelligente l'étude d'une profession savante. Si l'examen est satisfaisant, il peut alors s'inscrire et ses études comptent à partir de ce moment-là. Un Bureau devrait contrôler son propre examen d'immatriculation et n'en accepter aucun autre. Il est directement responsable envers la profession de n'admettre aux études aucune personne incompétente. L'échec s'avale mieux et se supporte mieux quand on est jeune que plus tard au cours d'une carrière. Les examinateurs devraient être des personnes indépendantes, se consacrant à l'enseignement général, et devraient être au nombre d'au moins trois ou quatre. Personne ne peut à lui seul diriger un examen préliminaire de façon satisfaisante. L'organisation du programme d'examens d'immatriculation au Québec devrait servir de modèle à toutes les autres provinces. Ce fut une mesure rétrograde pour le Bureau de la province dans laquelle nous sommes présentement d'abandonner en d'autres mains l'examen d'admission. Par ailleurs, le fait d'accepter le certificat du cours secondaire n'est pas sans présenter quelques désavantages. Nous voulons une plus grande vigilance à ce sujet et, dans l'intérêt d'une

meilleure formation, les bureaux devraient recevoir l'appui de toutes les écoles de médecine en vue d'obtenir une norme honnête et satisfaisante. Quiconque a eu à lire un certain nombre de réponses aux examens écrits ne sait que trop bien qu'il y a eu relâchement dans le passé. Dans tout le Canada, les matières de l'immatriculation ont toujours suivi de près celles que recommande le British Medical Council et comprennent tous les éléments d'une bonne formation générale, avec une bonne dose de latin. À ces sujets particuliers ont été récemment ajoutées la philosophie naturelle, la chimie et la botanique (à titre facultatif). L'étudiant a eu dans le passé beaucoup de difficultés à décider des sujets à éliminer. Dans certains cas, il a eu à passer deux examens : l'un, devant le Bureau de sa province, et l'autre, à l'université où il souhaitait étudier. Or, on devrait placer l'examen d'immatriculation des Bureaux provinciaux à un niveau tel et l'administrer d'une façon telle que toute université pourrait l'accepter à la place de son propre examen. Si les membres de notre profession, les enseignants du cours secondaire et les candidats eux mêmes reconnaissaient tous qu'il n'y a qu'un seul portail d'admission pour l'étude de la médecine, celui des examinateurs autorisés du Bureau provincial, on s'épargnerait bien des difficultés et des embêtements. Encore une fois, dans l'intérêt de l'étudiant, les examinateurs devraient choisir judicieusement les matières enseignées aux candidats dans les classes avancées du cours secondaire. On devrait, autant que possible, choisir des manuels semblables à ceux qu'utilisent d'autres immatriculations. Le manque d'attention apportée à ces détails apparemment mineurs n'est pas sans irriter à la fois étudiants et enseignants.

Alors permettez moi d'insister sur l'importance de faire tout en votre pouvoir pour assurer une bonne base à la formation préliminaire de l'étudiant; la responsabilité en est entre vos mains—insistez pour qu'il y ait des jurys compétents et indépendants, responsables envers les représentants que vous avez choisis; et, ce qui est tout aussi important, faites bien comprendre à vos étudiants et aux jeunes gens qui vous demandent conseil qu'il est important de bien se préparer. Après des années d'observation, je dois dire que les praticiens généraux n'ont pas pleinement conscience de leur devoir à ce sujet. Trop souvent, des jeunes gens se présentent mal préparés aux examens, et réussissent à se faufiler pour ensuite patauger, gênés qu'ils sont par une formation préliminaire insuffisante.

2. La réglementation du programme d'études. La profession en

général, par l'intermédiaire de ses délégués, a le droit incontestable de réglementer et de délimiter le programme d'études que devront suivre ceux qui aspirent à joindre ses rangs. Les gouvernements accordent ce droit et ont investi les Bureaux du pouvoir d'élaborer des mesures comme ils le jugent à propos. Il y a eu quelques frictions dans l'exercice de ce rôle dans le passé et les Bureaux des diverses provinces devront procéder avec plus de circonspection dans l'avenir. Qu'il y ait eu des machinations, et pas toujours des plus heureuses, est un grief souvent exprimé par les professeurs. Qu'il y en ait eu très peu et que les résultats n'aient pas été si mauvais, sera, je le pense, le verdict de quiconque se donnera la peine d'étudier sérieusement le problème. Le programme d'études en est présentement à un stade de transition et nous pouvons nous attendre à voir d'importants changements dans les années à venir, un sujet sur lequel je ne veux toutefois pas m'étendre. Une chose est claire, c'est que les Bureaux et les organismes enseignants doivent agir de concert—dans l'intérêt de l'étudiant et de la profession, il faut agir de façon harmonieuse. Dans notre pays, les étudiants de toutes classes aspirent au diplôme autant qu'au droit d'exercice et ne se contentent pas seulement de ce dernier, comme le fait la majorité des étudiants en Grande-Bretagne. Il est donc impératif que les exigences des conseils des universités soient plus ou moins uniformes. On ne peut permettre aux professeurs d'organiser l'enseignement selon des plans différents. Le devoir du Bureau est de définir un programme d'études minimal auquel chaque étudiant devra se conformer et que les écoles peuvent facilement offrir. Les exigences des universités, tout en étant aussi rigoureuses que les autorités choisissent de les établir, doivent suivre les mêmes lignes directrices afin que l'étudiant puisse facilement poursuivre ses études selon les unes ou les autres sans inconvénient et que les enseignants puissent préparer le candidat, à l'un ou l'autre examen, sans répétitions oiseuses.

Heureusement, les universités et les corps enseignants sont bien représentés au sein des Bureaux—trop bien même en Ontario par rapport aux représentants territoriaux—et, alors que la mise en place et la réglementation des changements à apporter au programme d'études incomberont principalement à leurs délégués, de nombreux détails demandent la diligente attention de tous. Les membres des comités d'éducation des Bureaux ont leur tâche tracée d'avance pour les années à venir. Parmi les questions importantes qui restent à régler dans certaines provinces, il y a le strict contrôle des quatre années d'études et le bien fondé de prolonger l'année académique à neuf mois ou, ce qui revient au même, de rendre la session d'été obligatoire. La formule qui permet à un étudiant de passer une de ses quatre années d'études chez un médecin doit être éliminée le plus tôt possible. Et cela, pour deux raisons : en premier lieu, dans la plupart des cas, il s'agit d'une véritable farce et l'on découvre, après enquête, que l'étudiant s'est contenté de poursuivre ses occupations habituelles, en se rendant peut-être au cabinet du médecin en soirée. Ce n'est sûrement pas là l'équivalent d'une session académique. Si la chose devait être permise, elle ne devrait pas l'être en première année, mais en troisième, comme on l'accepte dans la province de Québec, parce que l'étudiant est alors en mesure de recevoir de son précepteur un enseignement valable dans la pratique de la médecine et de la chirurgie. J'ai eu la surprise, il y a quelques années, en obtenant les statistiques du registraire d'un des Bureaux, de constater à quel point ceux qui avaient suivi trois sessions étaient nombreux. À ce sujet, les Bureaux ne devraient pas tirer de l'arrière par rapport aux universités de premier plan qui ne reconnaissent plus l'année passée chez un médecin comme étant l'équivalent d'une session. En second lieu, le changement devrait se faire dans l'intérêt des écoles elles mêmes. Il est tout à fait impossible d'organiser de façon satisfaisante un cours de trois sessions—soit que l'étudiant accorde trop d'attention aux sujets primaires au cours des deux premières sessions et ne se laisse qu'une courte session pour étudier les importants sujets finaux, soit qu'il s'évertue durant la deuxième session à travailler avec acharnement sur les deux domaines à la fois pour aboutir à un état de confusion qui le rend inapte à l'un et à l'autre. La prolongation de l'année académique à neuf mois, comme cela existe maintenant dans quelques écoles de la province de Québec, doit en fin de compte se faire dans tous les collèges. Ne nous attardons pas sur les raisons de l'apparition de cette folle habitude de donner six mois de vacances—cette folie trop évidente n'est pas digne d'attention; et nous pouvons prédire avec certitude que, d'ici dix ans, le cours de neuf mois sera devenu universel soit sous forme de session ininterrompue comme à l'Université Laval, soit en rendant obligatoire la session d'été encore aujourd'hui facultative.

3. Le contrôle du droit d'exercice est la plus importante fonction des

Bureaux provinciaux. Agissant au nom de l'État, ils ont la tâche de voir à ce que tous les candidats au permis d'exercice soient bien qualifiés. Ils sont les gardiens du public et de la profession et en cela, leurs responsabilités sont en fait très grandes. Idéalement, il ne devrait y avoir qu'une seule porte d'entrée dans chaque pays donnant accès à la profession et à l'exercice légal de ses droits—une norme uniforme de compétence à laquelle chacun doit se conformer. Ceci est assuré dans certains pays grâce à l'action directe de l'État, qui nomme des examinateurs à cette fin. Cependant, le système que nous avons mis en place ici, dans lequel l'État confie cette tâche à la profession constituée en société autorisée, est encore meilleur. C'est sur cette question que se sont engagés et que s'engagent encore les plus violents combats au sein de la profession. Les universités et les collèges dotés d'une charte ont contesté, pouce par pouce, les droits de la profession à ce sujet, et la lutte n'est pas partout terminée. L'obtention d'un diplôme de médecine d'une université, si réputée soit-elle, ne peut en aucune façon conférer le droit à l'enregistrement et à l'exercice. Les écoles sont des organismes indépendants, en dehors de l'État dans une large mesure, et tout à fait en dehors d'un contrôle professionnel; elles sont nombreuses et se font une forte concurrence; les exigences pour l'obtention du diplôme varient et les normes d'examens sont inégales. Ce sont des corporations fermées et, ni le public, ni la profession ne peuvent savoir ce qui transpire dans leurs conseils. Dans la plupart d'entre elles, les professeurs jouent aussi le rôle d'examinateurs. Un tel état de choses ne peut que conduire à un certain relâchement et avoir des suites funestes pour toutes les parties concernées.

Un système uniforme n'a pas encore été adopté dans toutes les provinces. Dans un grand nombre d'entre elles, le fait d'avoir un diplôme, obtenu à la suite d'un cours approprié, donne encore à son détenteur le droit d'exercer, alors que tous les autres doivent se soumettre à un examen. C'est dans la province d'Ontario qu'on en est à l'étape la plus avancée et la seule voie à l'enregistrement passe par l'examen devant un jury nommé par le Bureau provincial. C'est à cette formule que devront finalement en venir les autres provinces. C'est ce que la profession en Grande Bretagne essaie d'obtenir depuis des années, jusqu'à présent en vain face au pouvoir des corporations et aux droits acquis. Dans la province de Québec, le Bureau provincial accepte les diplômes des universités locales où il envoie des évaluateurs—à la façon du British Medical Council—qui font un compte rendu de la nature des examens. Tous ceux qui ne possèdent pas ces diplômes doivent se soumettre à un examen. Bien que cette méthode n'ait pas si mal fonctionné, elle n'en demeure pas moins un pis aller et doit un jour ou l'autre être remplacée par un jury central d'examinateurs qui évaluera les compétences de tous les candidats. Malheureusement, la situation qui prévaut dans cette province est telle qu'il faudra avoir deux jurys, l'un en français et l'autre en anglais.

Il est inévitable que certaines difficultés apparaissent au moment de l'établissement d'un jury central d'examens. De prime abord, ces difficultés créent de l'inquiétude et du mécontentement mais, avec de la patience et de l'indulgence de part et d'autre, elles finissent par disparaître. Le choix d'examinateurs qualifiés est un point délicat au sujet duquel les enseignants sont portés à exprimer des griefs plus ou moins justifiés. Les examinateurs ne devraient sûrement pas être choisis au hasard parmi les membres du conseil. Il y a quelques années, un de mes amis fut nommé examinateur en chimie pour le jury québécois. C'était un praticien éminemment compétent, mais avec une connaissance très vague et très floue de la chimie et il était difficile de dire qui était le plus mal à l'aise lors de l'examen, l'examinateur—ou les étudiants. Les professeurs des écoles de médecine ont de bonnes raisons de se plaindre quand les Bureaux provinciaux choisissent comme examinateurs dans certaines spécialités — comme l'anatomie, la chimie, la physiologie et la pathologie—des hommes qui pratiquent la médecine depuis des années sans avoir la possibilité de maintenir comme ils le voudraient leurs connaissances sur ces sujets et qui, pour se « remettre à jour », doivent travailler aussi fort, peut être, que les pauvres candidats. Dans les domaines plus pratiques, ces difficultés n'existent pas et les Bureaux ont tout le choix voulu. Lorsqu'une connaissance technique particulière est requise, il serait même préférable de passer outre à la loi qui défend aux Bureaux de choisir un professeur comme examinateur dans sa propre matière. Au « Staats Examen » en Allemagne, les professeurs de différents départements sont habituellement choisis par le gouvernement pour prendre en charge l'examen dans leurs domaines de compétence. C'est un point auquel les Bureaux devraient accorder toute leur attention dans l'avenir car ils perdent le respect de la profession et celle des étudiants en nommant comme examinateurs des hommes sans qualifications particulières dans certains domaines. Les examens en vue du droit d'exercice devraient être à tous égards les plus pratiques possibles mais, pour cela, un Bureau provincial doit posséder son propre édifice et son propre équipement et prendre les dispositions nécessaires avec les autorités hospitalières pour obtenir libre accès à un nombre suffisant de patients. Comme le travail est d'abord fait dans l'intérêt public, il est du devoir des législatures de prendre les mesures nécessaires et il semble que l'Ontario, qui a été la première à donner l'exemple d'un système unique d'accès au droit d'exercice, sera aussi la première à se doter d'un établissement digne de sa profession incorporée. Un tel édifice devra être pourvu de tout l'attirail nécessaire aux fins d'examen. La meilleure solution semble être d'avoir deux examens, un examen primaire et un examen final, comme cela se fait présentement dans la plupart de nos universités et au Bureau provincial ontarien. Le premier examen comprend l'anatomie, la physiologie, la chimie générale et médicale et les *materia medica*; le second comprend les branches pratiques de la médecine, la chirurgie et l'obstétrique. Pour les détails pratiques, on pourrait suivre, dans bien des cas, l'exemple du « Staats Examen » d'Allemagne.

On a éprouvé de sérieuses difficultés dans la conduite des examens en ce qui a trait au choix du moment et de l'endroit et à la rapidité. Ils devraient avoir lieu une fois terminés les examens de l'université, et non, comme c'est la cas présentement, immédiatement au terme de la session académique. Cela permettrait de leur accorder plus de temps, ce qui est impératif si l'on veut rendre les épreuves plus pratiques. Comme le nombre de candidats augmente, celui des examinateurs devrait doubler. On devrait choisir un centre donné dans chaque province pour les séances du jury et, dans la plupart des cas, ce sera la ville principale. Aller à Québec pour une réunion, puis à Montréal pour la suivante, comme c'est la coutume dans la province de Québec, et tenir un examen à Kingston, aussi bien qu'à Toronto, sont des hommages touchants et délicats à l'égard de l'âge, mais dont une génération plus robuste devra bientôt se passer.

On doit dorénavant accorder beaucoup plus de temps à la partie pratique des examens qui donne la seule vraie appréciation de l'aptitude d'un homme à joindre la profession. Le jour des examens théoriques est révolu.

Permettez moi de mentionner un ou deux autres problèmes à propos des Bureaux provinciaux. Une anomalie, qui a causé beaucoup d'irritation, vient de nos relations étroites avec la mère patrie. En effet, tout praticien enregistré en Grande Bretagne, selon la loi britannique actuelle, peut demander l'enregistrement dans les colonies sans autre examen. Pendant quelques années, l'Ontario a contesté ce droit, mais le litige a finalement été réglé par l'enregistrement du Dr E. St. G. Baldwin, en 1879, et du Dr A. E. Mallory, en 1880, dates à partir desquelles un grand nombre de praticiens ont été inscrits au registre sans examen. La Loi médicale, qui a été mise en veilleuse l'an dernier à la Chambre des communes, contenait une clause permettant aux colonies de réglementer à leur gré l'enregistrement et il n'y a pas de doute qu'une stipulation similaire apparaîtra dans tout futur projet de loi. Les objections à accepter l'enregistrement britannique sont précisément les mêmes que celles énoncées contre l'acceptation de l'enregistrement canadien en Grande Bretagne. Les corporations qui font passer les examens ont des normes variées; rien n'est connu de leur façon de procéder et on ne peut exercer sur elles aucun contrôle. Cependant, en Ontario, ce n'est pas là que le bât blesse. Après avoir obtenu leur diplôme de médecine, les étudiants peuvent déjouer le Bureau en allant chercher une qualification anglaise ou écossaise et en s'enregistrant ensuite en Grande Bretagne, pour revenir par la suite et se faire inscrire au registre sans autre examen. L'objection contre un tel procédé vient du fait que plusieurs ont réussi à se soustraire aux justes règlements de leur province et à revenir avec un enregistrement britannique, alors qu'ils n'auraient même pas pu se qualifier pour l'examen du Bureau ontarien. À de rares exceptions près, les Canadiens recherchent les qualifications les plus faciles en Grande Bretagne, en particulier la licence des collèges d'Édimbourg. À certains endroits, la coutume, avec les diplômés canadiens, a été d'examiner le parchemin, d'accepter le diplôme universitaire et d'admettre le candidat à l'examen sans autre forme d'enquête. Pour éviter toute injustice, les organismes britanniques habilités à accorder la licence doivent examiner le certificat d'immatriculation et avoir une preuve satisfaisante, au moyen des bulletins de classe, que l'étudiant a consacré quatre années à l'étude de la médecine. Dans ces conditions, l'enregistrement en Ontario grâce à un certificat britannique ne serait pas un problème, même si cela représentait encore une discrimination injuste envers les institutions locales.

Grâce à l'amabilité du Dr Pyne, le Registraire, je peux vous donner quelques chiffres à ce sujet. Au cours des cinq dernières années, 378 hommes se sont enregistrés dans la province d'Ontario, dont 93 Canadiens qui l'ont fait par le biais de leur enregistrement britannique; c'est-à-dire qu'environ un quart des candidats a évité les ordonnances du Bureau en allant en Grande Bretagne pour se qualifier dans un collège britannique. Personne ne peut douter que ces 93 hommes ont grandement bénéficié de la période d'études supplémentaire et du contact avec des gens d'autres écoles et d'autres pays, mais ils en auraient tiré un plus grand bénéfice encore en se conformant d'abord aux exigences de leur propre province et ils auraient aidé la profession à maintenir des règlements dont les avantages sont universellement reconnus.

Les frais exigés par les Bureaux soulèvent passablement de mécontentement de la part des étudiants et des praticiens. Une somme de 70 $ est exigée par le Bureau de l'Ontario pour les trois examens : immatriculation, examen primaire et examen final. Au Québec, les droits d'enregistrement sont de 20 $ et ceux de l'immatriculation de 10 $. C'est toujours la même vieille histoire; ce sont ceux qui sont les mieux traités qui souvent se plaignent le plus. En ce qui concerne les frais, les étudiants en médecine du Canada sont dans une situation trop facile et ils doivent s'attendre à des changements dans un avenir prochain. Alors que les dépenses encourues pour faire fonctionner une école de médecine ont quadruplé au cours des vingt cinq dernières années, les frais d'inscription n'ont pas augmenté de dix pour cent. Les frais exigés par les Bureaux sont justes et raisonnables, et sont nécessaires pour couvrir les dépenses. La taxe annuelle imposée aux médecins, qui est de 1 $ en Ontario et de 2 $ au Québec, est souvent qualifiée d'ennuyeuse, mais c'est là une contribution insignifiante pour le bien être général de la profession.

Il semble étonnant à des étrangers que, dans un pays comme le Canada, avec à peine cinq millions d'habitants, il y ait autant de Bureaux habilités à accorder le droit d'exercice et, anomalie plus grande encore, qu'un détenteur de permis dans une province ne puisse pratiquer dans une autre -qu'il n'y ait pas de réciprocité. C'est aussi ce que pensaient de nombreux esprits éclairés, il y a une dizaine d'années, quand, dans notre Association, nous avons fait une sérieuse tentative, lors de nombreuses réunions, pour ébaucher un projet de Loi médicale à l'échelle du Dominion. Le projet a échoué comme échoueront, je le pense, les suivants, si jamais il y en a. Il ne reste qu'un seul remède : avec le temps, les Bureaux des diverses provinces en viendront peut être à si bien assimiler les programme d'études et les examens que la réciprocité pourra devenir possible. C'est une chose que nous ne pouvons cependant espérer avant quelques années. Dans certains cas, un Bureau national d'enregistrement à Ottawa paraît particulièrement indiqué; ainsi, un chirurgien d'un régiment du Québec, qui serait appelé en devoir en Ontario, pratiquerait illégalement et, dans la marine, les chirurgiens à bord des paquebots doivent être enregistrés dans la province où est situé le port d'où le navire est parti. Il y aurait de nombreuses, sinon insurmontables, objections à l'existence d'un tel bureau quoiqu'il serait possible d'imaginer un plan à l'intention des chirurgiens militaires et de ceux appartenant à la marine marchande.[1]

J'ai traité à fond de la constitution et des fonctions des Bureaux médicaux des provinces parce que je suis convaincu que la sécurité de la profession leur incombe. D'un service inestimable dans le passé, leur travail dans l'avenir sera encore plus bénéfique. Pensez un instant à vos avantages professionnels. Où, ailleurs qu'ici, les médecins d'un pays jouissent-ils du droit de mener leurs propres affaires dans leur propre parlement? Considérez la Grande Bretagne, où notre puissante Association sœur, avec toute son influence et avec l'appui de ses onze mille membres, n'a pas pu imposer le principe de la représentation professionnelle dans le dernier projet de loi médicale et n'a pu, tout au mieux, que s'assurer trois ou quatre membres choisis parmi l'ensemble de la profession. Vous pourrez vous compter chanceux lorsque, dans chaque province du Dominion, vous aurez (1) une assemblée représentative et élective (conseil ou collège) avec des membres de chacun des corps enseignants; (2) le contrôle absolu des qualifications préliminaires, du programme d'études et des examens au droit de pratique; (3) les aménagements appropriés pour les réunions des Bureaux, pour la conduite des examens et pour la conservation des archives locales et générales de la profession. La Loi de 1788 et celle de 1815 ne seront pas complètement mises en application tant que ces choses ne seront pas accomplies. Vous avez déjà acquis les deux premières dans la majorité des provinces, la dernière sera peut être plus difficile à parachever; mais je demeure confiant qu'il n'est pas loin le jour où, dans la capitale de chaque province, la profession réunie en corporation aura un temple d'Esculape digne des traditions et des aspirations de notre noble vocation.

Je pourrais maintenant mettre un terme à cette partie de mon thème, qui s'intéresse particulièrement aux relations de la profession avec la communauté, mais j'insisterai toutefois sur un point. J'ai commencé en disant que, dans un État bien ordonné, chaque citoyen devait sentir qu'il avait à sa portée des hommes bien formés vers qui il pouvait se tourner avec confiance quand il en avait besoin et à qui il pouvait demander de l'aide pour lui-même, pour sa femme ou pour ses petits. Or, cette situation existe à travers le Canada; la communauté est aujourd'hui desservie par des hommes capables et bien formés; même dans nos plus petits villages, il y a à la portée du plus pauvre un médecin honnête et compétent; les imposteurs et les charlatans sont rares. Toutes ces choses, messieurs, sont quelques uns des bienfaits pour lesquels nous pouvons, en levant les mains vers le ciel, remercier nos Bureaux provinciaux.

Il y a un autre lien entre la profession médicale et la communauté que je ne peux que mentionner brièvement. L'un des plus remarquables progrès de la médecine moderne est l'orientation qu'a prise l'étude des causes et des modes de prévention des maladies épidémiques. Les principes de la médecine préventive sont de plus en plus reconnus par le grand public et la nécessité d'un effort organisé est généralement accepté. Dans cette province, cet effort a résulté en la création d'un Bureau provincial de la santé qui accomplit un travail remarquable et qui devrait recevoir l'appui du public et de la profession médicale. La voie qui a été poursuivie avec succès depuis les quatre dernières années crée un stimulant que ressentiront tôt ou tard les autres provinces et établit un exemple qu'elles doivent en tout honneur suivre.

2. L'école de médecine. L'école de médecine joue un rôle important et essentiel dans l'avancement et le développement d'une profession. Son objectif premier est de former des jeunes gens dans la science et l'art de la médecine pour mettre à la disposition de la communauté des personnes compétentes et aptes à prendre en charge les malades et les blessés. C'est cet aspect d'une école de médecine qui intéresse naturellement le public. Dans la plupart des pays européens, l'État, à titre de gardien du bien commun, détient le contrôle de l'éducation médicale et subventionne largement les facultés de médecine dans les universités. En Grande Bretagne,

cela se fait sur une moindre échelle, mais partout sur notre continent, les écoles sont nées de l'entreprise privée. Les origines et l'évolution de l'école de médecine dans notre pays sont très faciles à retracer. Pendant de nombreuses années, les leçons privées étaient le seul moyen d'obtenir une éducation médicale et le système d'apprentissage prévalait largement. Par toute une série de « piochages » et de « colles », le précepteur enseignait à ses élèves tout de la médecine et de la chirurgie et c'est au moyen de dissections discrètes, qui étaient alors largement pratiquées, qu'ils acquérait une connaissance de l'anatomie. La pratique en cabinet et les visites quotidiennes fournissaient le matériel clinique. L'étudiant passait beaucoup de temps avec son précepteur, devenait son ami et compagnon et, au bout de quatre ou cinq ans, parfois moins, il était devenu vraiment compétent dans la pratique de sa profession et se sentait prêt à se présenter devant le Bureau provincial. Certains des meilleurs praticiens que nous ayons eus au Canada ont reçu leur formation médicale de cette façon. Il n'y a qu'à consulter le Registre médical de l'Ontario ou du Québec et à rechercher les noms simplement suivis du titre de « Lic. of the Med. Bd. of Upper or of Lower Canada », pour trouver plusieurs des hommes que nous connaissons le mieux et respectons le plus. Nul doute qu'entre bonnes mains, l'ancien système avait de grands avantages; les détails essentiels, utiles et pratiques de la vie professionnelle y étaient bien enseignés; mais, pour les raffinements et le superflu, le médecin affairé n'avait pas le temps. Parmi les professeurs privés qui ont œuvré avant que les écoles de médecine ne deviennent généralement accessibles, on retrouve les noms d'hommes remarquables dont il faut se souvenir avec reconnaissance. Le Dr James Douglass, de Québec, a été un enseignant qui a eu beaucoup de succès et qui était fort populaire auprès de ses élèves, qui avaient l'avantage d'avoir accès à l'Hôpital de la Marine. Il vit toujours, dans une retraite paisible, l'un des rares liens qui unissent encore la profession du Québec à une génération depuis longtemps disparue. Le Dr Rolph, aujourd'hui décédé, a été, dès son arrivée à Toronto en 1831 jusqu'à la fondation de l'École de médecine de Toronto en 1843, un des enseignants privés les plus énergiques et les plus recherchés; un grand nombre de ses élèves du temps occupent d'ailleurs aujourd'hui des postes importants parmi nous. Même après la période agitée de 1837, alors qu'il a dû traverser la frontière, les étudiants l'ont suivi à Rochester.

L'organisation de la première école de médecine vient de l'association de deux ou trois hommes, engagés dans l'enseignement privé, qui croyaient que cela sauverait du temps et serait plus avantageux, si chacun d'eux enseignait une ou deux matières. En 1824, à Montréal, les Drs Stephenson, Holmes, Caldwell et Robertson donnaient la première série de cours en médecine au pays. Cette « Institution médicale », comme ils l'appelaient, est devenue, en 1829, la faculté de médecine de l'Université McGill et est demeurée, pendant de nombreuses années, la seule école de médecine au pays. La tentative suivante fut encore bien plus ambitieuse. Dès 1835, des efforts furent faits pour tenter de convaincre le gouvernement de Sir John Colburn de créer une faculté de médecine au King's College à Toronto. Des plans élaborés furent préparés, mais rien ne se passa avant 1843 quand une faculté fut enfin organisée avec un personnel complet et compétent. On n'aurait pu concevoir d'inauguration plus favorable pour une école de médecine; avec l'aide de l'État, des professeurs bien formés et efficaces recevaient des salaires de l'ordre de 225 £ à 350 £—des émoluments fort élevés pour l'époque. D'après ce que j'ai pu comprendre, c'était une école particulièrement efficace et qui faisait un bon travail de formation médicale, mais les professeurs ont fait certaines erreurs pour lesquelles ils ont chèrement payé. En s'opposant à l'incorporation de l'École de Médecine de Toronto, qui avait été mise sur pied par le Dr Rolph en 1843, ils ont posé un geste fort peu judicieux et ont créé l'embryon de difficultés futures; de plus, plusieurs d'entre eux, tout en voulant améliorer l'acte médical, étaient hostiles à la profession. Dix ans plus tard, une loi de la Législature ne laissa à l'Université de Toronto que le département académique, balayant une école de médecine qui, malgré ses fautes, portait en elle les éléments d'un succès éventuel et laissant la profession et le public à la merci d'écoles irresponsables, dénuées de tout fondement et sous la dépendance de l'entreprise privée. Il n'y a aucun doute que l'abolition de la faculté de médecine de l'Université de Toronto retarda sérieusement la croissance de la profession au pays. La création d'un établissement bien équipé aurait servi d'exemple et de stimulant pour d'autres et, avec le temps, les difficultés inévitablement associées aux premières années d'existence se seraient estompées.

L'École de médecine et de chirurgie de Montréal fut fondée en 1843 et c'est toujours la plus grande école de langue française du Dominion. À peu près au même moment, la St. Lawrence School fut aussi fondée à Montréal, en opposition au McGill College, mais son existence devait être brève et elle ne tarda pas à disparaître. L'École de médecine de Québec vit le jour par la suite et devint, et continue toujours d'être, la faculté de médecine de l'Université Laval. En 1850, à Toronto, une troisième école s'ajoutait à celles qui existaient déjà. Il s'agissait de l'École de médecine du Haut Canada qui, à sa première session, devint la faculté de médecine du Trinity College. Cependant, après trois ou quatre sessions, elle ferma ses portes à la suite de la démission des professeurs qui refusaient de se soumettre à certaines ordonnances vexatoires de nature religieuse exigées par la corporation. La faculté de médecine du Victoria College s'établit ensuite à Toronto et fut connue pendant des années sous le nom de Rolph's School; elle devait cesser d'exister en 1869. La Kingston School, organisée en faculté de l'Université Queen's, est maintenant connue sous le nom du Collège Royal des Médecins et Chirurgiens. La faculté de médecine du Collège Bishop, à Lennoxville, au Québec, fut établie à Montréal en 1870. La même année, la faculté de médecine du Trinity College fut réorganisée et existe maintenant comme corporation distincte appelée Trinity Medical School. L'École de médecine de Halifax est la seule qui ait été ouverte dans les Basses Provinces.

Les plus récentes additions à notre liste ont été la filiale de la Faculté de médecine de l'Université Laval à Montréal, en 1877, ainsi que la faculté de médecine de l'Université Western à London, en Ontario, et la faculté de l'Université du Manitoba qui ont toutes deux été fondées récemment. En 1883, à la suite d'un fâcheux contretemps à Kingston, une école de médecine pour femmes était créée dans cette ville suivie d'une autre à Toronto.

À ce sujet, on ne peut que déplorer que nos amis de Kingston et de Toronto se soient embarqués dans des entreprises aussi inutiles. Il ne sert à rien de manufacturer des articles pour lesquels il n'y a aucun marché et, au Canada, les gens n'ont pas encore établi les conditions nécessaires pour qu'une femme médecin trouve un environnement approprié. Regardons les faits tels qu'ils sont; même les grandes villes ne peuvent en accommoder qu'une ou deux; en fait, Québec et Montréal n'en ont aucune, et dans les plus petites villes et les villages du pays, elles crèveraient de faim. Pour former six à huit femmes par année, dont au moins trois ou quatre iront à l'étranger, deux écoles de médecine de plus ont été créées avec tout le personnel de professeurs et d'enseignants. On ne peut qu'espérer qu'au terme des cinq ans pendant lesquels les dépenses ont été garanties par des amis complaisants, les promoteurs de ces établissements seront en mesure de mettre leurs énergies et leurs fonds à la disposition des écoles consacrées au sexe le plus fort. N'allez pas croire par ces remarques que je sois, en quoi que ce soit, hostile à l'admission de femmes dans nos rangs; au contraire, mes sympathies les accompagnent alors qu'elles tentent de voir jusqu'où elles peuvent réussir dans une profession aussi ardue que la médecine.

Alors, sans compter les écoles pour femmes, il existe onze organismes enseignants au pays, trois de langue française et huit de langue anglaise, un nombre amplement suffisant pour satisfaire aux besoins d'environ cinq millions de personnes. En Grande Bretagne, avec une population de trente cinq millions, il y a environ 34 écoles de médecine et, aux États Unis, avec une population de cinquante millions, il y en a 139; en comparaison avec ces pays, nous sommes donc très comblés.

Les plus jeunes d'entre nous ont peut être été témoins de l'incubation et de la naissance d'une école de médecine et un grand nombre d'entre nous ont pu suivre la croissance et le développement de l'une d'elles. À peu d'exceptions près, chaque école qui s'est ouverte est née grâce aux efforts individuels de membres de la profession. Il y a des gens ici présents qui pourront vous dire que la tâche n'est pas facile aujourd'hui; imaginez ce que cela a dû être, il y a cinquante ou soixante ans. Ce fut une lutte sans fin contre des obstacles majeurs et d'énormes difficultés. Il a fallu trouver les fonds nécessaires pour les édifices et l'appareillage et, avec le petit nombre d'étudiants et les maigres recettes, le miracle n'est pas que seulement quatre écoles aient succombé au combat, mais que tant d'entre elles aient survécu. Les difficultés internes sont souvent les plus sérieuses; le plus gros du travail retombe toujours sur un ou deux hommes dévoués qui doivent supporter la plus grande partie du fardeau et le poids mort de collègues léthargiques a toujours été la charge la plus lourde à porter pour plus d'un esprit ardent.

Les dettes sont le boulet que traînent les jeunes écoles pendant de nombreuses années; les sommes empruntées servent à acheter l'appareillage, etc., et, même dans les plus vieilles écoles, chaque addition faite aux bâtiments se traduit par une augmentation des intérêts à payer. Ce n'est que dans une ou deux des facultés reliées aux universités que les gouverneurs ont accordé un aménagement à peu près convenable. La situation financière est accablante pendant des années et, de session en session, l'école vivote, à peine capable de faire face à ses engagements et de payer ses enseignants— et, à ce stade, probablement pas du tout. À mesure qu'augmente le nombre d'étudiants, la situation financière s'améliore et, si l'école s'avère populaire, les dettes peuvent être remboursées et les professeurs peuvent recevoir une juste rémunération mais, aussi longtemps que les étudiants sont peu nombreux, les recettes sont telles qu'elles parviennent à peine à couvrir les dépenses. Une difficulté qui, dans les circonstances actuelles, semble insurmontable est le fait que le succès dépend de façon absolue du nombre d'étudiants. Qui dit petites classes dit moyens restreints pour enseigner, instruction sans âme, professeurs découragés et insatisfaction générale, surtout de la part du personnel. De grandes classes signifient peut être tout à fait l'opposé, mais pas toujours; quoi qu'il en soit, il est sûrement agréable pour un professeur d'avoir une salle de classe dont les bancs sont bien remplis. J'ai connu l'effet d'un petit auditoire chez un homme qui évaluait tout numériquement.

Regardons les faits en face. J'estime que l'année dernière, il y avait dans les onze écoles canadiennes environ 900 étudiants et c'est d'eux que provenait, à de rares exceptions près, tout le support que les institutions recevaient. Quatre de ces établissements sont assez gourmands pour attirer au moins 700 étudiants, ce qui en laisse environ 200 à diviser entre les sept autres écoles. Avec la faible échelle de frais de scolarité présentement en vogue, je doute que chaque étudiant ait payé plus de 80 $ en moyenne par année pour ses études. Ceci fait que les recettes totales, pour le nombre précédemment mentionné d'étudiants, seraient d'environ 70 000 $ dont 55 000 $ au moins vont à quatre des écoles, ce qui ne laisse pas plus de 15 000 $ à diviser entre les sept autres. Or, une école de médecine moderne est une sérieuse affaire à mettre sur pied et à équiper; certaines des matières à enseigner requièrent, même dans les plus petites écoles, beaucoup d'espace et un bon appareillage. On doit prévoir des laboratoires pour l'enseignement pratique de la chimie, de l'histologie, de l'anatomie, de la pathologie et de la physiologie de même que des installations pour une bibliothèque et un musée. Dans certaines écoles, seule la contribution individuelle des membres de la faculté peut permettre de combler ces besoins et, dans la plupart des écoles, la règle générale veut que chaque professeur pourvoie à son matériel d'enseignement à même ses propres honoraires. Quand un enseignant a, à la fois, l'enthousiasme et les moyens, cela peut fort bien fonctionner et, en fait, cela marche parfois; je connais, par exemple, le cas d'un professeur qui a dépensé plus de deux mille dollars en équipement et d'un autre dont les dépenses personnelles de laboratoire allaient de cinq cents à mille dollars chaque année. De la façon dont les choses se sont passées dans nos écoles jusqu'à maintenant, sans contribution personnelle, l'équipement de laboratoire a toujours été insuffisant. L'élan remarquable qu'a connu récemment l'enseignement pratique a contribué à augmenter de beaucoup les coûts encourus pour gérer une école parce que l'on doit prévoir, non seulement l'installation de laboratoires, mais aussi l'embauche d'hommes dotés d'une formation spécialisée. Le praticien général qui, pendant huit ou dix ans, s'est adonné à la médecine et à la chirurgie pratiques, peut s'installer dans la chaire du professeur et donner une très bonne série de cours; mais diriger le travail de laboratoire exige une formation soignée et continue qui coûte cher et qui, une fois obtenue, a une valeur marchande.

L'un des grands maux résultant d'une telle situation est la concurrence que se livrent les écoles pour obtenir une clientèle. J'en ai déjà parlé comme d'un danger dont la profession devait se méfier. Trop d'étudiants entreprennent leurs études avant d'avoir les moyens de les poursuivre jusqu'au bout et ils cherchent des incitatifs spéciaux ou des réductions des frais de scolarité ou essaient d'être exemptés d'assister aux cours jusqu'à Noël; ils écrivent même des lettres qui suscitent des différends entre les écoles d'une façon fort amusante. Pensez, messieurs, à ce que pourrait causer à la profession une concurrence effrénée entre onze écoles pour neuf cents étudiants! Ce serait une lutte pour l'existence dont le public et la profession seraient certainement les grands perdants. Heureusement, grâce à la sage réglementation déjà mentionnée et qui est en vigueur dans chaque province, la concurrence se voit ramenée à des limites raisonnables puisque tous les étudiants, quelle que soit l'école qu'ils fréquentent, doivent suivre le même plan d'études pendant la même période de temps.

Quelle est la solution? Les petites écoles ont les mêmes droits que les plus grandes; on ne peut leur demander de s'immoler dans l'intérêt des établissements plus favorisés. Il est du devoir des bureaux provinciaux de se renseigner sur l'équipement dont disposent les organismes enseignants et ils devraient refuser de reconnaître ceux qui n'ont pas l'appareillage nécessaire pour offrir un cours moderne de médecine; ou, ce qui serait mieux encore, les bureaux provinciaux devraient avoir le pouvoir d'empêcher la création d'une nouvelle école tant qu'ils n'ont pas la certitude que ses promoteurs disposent de bâtiments et d'installations hospitalières convenables ainsi que des fonds nécessaires pour entreprendre un tel projet. À l'avenir, ce sera de deux choses l'une : soit que plusieurs des petites écoles meurent de faim—car il est fort évident, d'après les chiffres déjà mentionnés, qui sont assez justes, qu'il y a sept écoles qui existent grâce à des frais de scolarité qui ne pourraient en supporter qu'une et, même pas de façon très prospère—soit qu'on trouve des moyens pour obtenir des fonds en provenance d'autres sources. Personne ne peut nier qu'il y ait surabondance d'écoles dans le pays, et la disparition de trois ou quatre d'entre elles ne serait une perte ni pour la profession ni pour le public; par contre, si elles pouvaient toutes être dotées d'un équipement clinique et scientifique convenable, elles se révéleraient une source de force et non de faiblesse. Les plus petites écoles, qui ne dépendent que des frais de scolarité, ne peuvent espérer suivre le rythme des exigences actuelles de l'enseignement médical et cela, même avec l'abnégation dont font preuve plusieurs de leurs professeurs. Quant aux plus grandes écoles, avec l'accroissement des coûts et des salaires, elles ne sont guère mieux. Le temps est venu de faire part au grand public de ce qu'une éducation médicale supérieure requiert. Une école ne peut se développer entièrement sans aide extérieure. Construire des laboratoires et installer un équipement coûteux exige des sommes qui sont nettement hors de la portée des facultés et des professeurs. Nous devrions tirer une leçon de nos confrères du clergé. Si vous demandez, à Toronto ou à Montréal, à quoi servent toutes ces constructions magnifiques et coûteuses groupées autour des universités, on vous répondra qu'il s'agit d'écoles de théologie souvent érigées grâce à la générosité de donateurs particuliers. On voit de plus en plus d'individus au pays qui sont prêts à donner de l'argent là où ils croient que c'est nécessaire et que ce sera utilisé à bon escient; si ceux qui s'intéressent à l'éducation médicale s'en donnent la peine, on pourra recueillir des fonds intéressants. Nous n'avons rien demandé jusqu'à présent—par pure inconscience de nos besoins—mais nous devons faire des demandes maintenant et les faire sérieusement. La demande de 100 000 $ que nous avons faite l'an dernier, à Montréal, est à la fois une indication et un encouragement. Il y a parmi nous des gens éclairés, comme l'honorable Donald A. Smith, qui croient, comme Descartes, que l'espoir de résoudre bien des maux de l'humanité réside entre les mains de notre profession et que c'est un devoir civique et un privilège d'aider à faire de nos collèges des foyers de haut savoir et des écoles qui donnent une solide formation.

3. La société médicale. Dans un pays jeune, l'organisation de sociétés médicales présente de sérieuses difficultés. Dans les villes, les praticiens peuvent aisément se rencontrer mais, dans les communautés dispersées sur un vaste territoire, comme on en voit au Canada, il n'est pas facile de créer des sociétés générales. C'est ainsi que nous constatons que de nombreuses tentatives furent faites pour mettre sur pied une Association médicale canadienne, mais qu'elles ne menèrent à rien jusqu'au moment de la confédération des provinces en 1867. En 1845, la Société médicochirurgicale provinciale de Montréal chercha à fonder une Association médicale provinciale et convoqua une conférence de délégués des sociétés de la ville et du district de Québec et du district de Niagara et de Toronto. Une assemblée des délégués eut lieu le 20 août mais, malheureusement, le projet échoua. En 1850, la même société essaya encore une fois de réunir la profession du pays en une Association médicale et chirurgicale anglo américaine et, le 10 juillet, à Trois Rivières, tint une réunion préliminaire au cours de laquelle furent adoptés une constitution et un bref code de règlements. Le Dr Morin, de Québec, fut nommé président et le Dr Hall, de Montréal, secrétaire; la première assemblée générale devait se tenir à Kingston le deuxième jeudi de mai 1851. J'ignore si elle a jamais eu lieu; les journaux du temps n'en font aucune mention.

À l'instigation, et suite à l'appel de la Société médicale de Québec, une réunion eut lieu à l'Université Laval le 9 octobre 1867 dans le but d'étudier l'opportunité de créer une Association médicale canadienne. Ce fut fait et la première assemblée eut lieu à Montréal en 1868 sous la présidence du Dr, aujourd'hui Sir, Charles Tupper.

Un des buts recherchés par les promoteurs, en unissant ainsi leurs efforts, était la mise en place d'une législation médicale satisfaisante et harmonieuse et l'on peut constater que la majeure partie des quatre premières séances a été consacrée à la rédaction d'un projet de loi médicale à l'échelle du Dominion. Ce projet devait toutefois se révéler irréalisable et fut bientôt abandonné. Les réunions suivantes furent consacrées à des sujets moins controversés et nous avons réussi à mieux concevoir les objectifs de nos assemblées annuelles. Nous sommes tous d'accord, je le pense, pour dire que la tâche la plus importante qu'une Association comme la nôtre puisse entreprendre est la promotion des aspects scientifiques et pratiques de notre profession. Lors de nos réunions, les meilleurs cerveaux parmi nous doivent apporter leurs pensées les plus éclairées dont nous pourrons mutuellement tirer profit en lisant et en discutant les exposés qu'ils feront. Chacun des membres peut apporter quelque chose. Un des grands attraits de notre profession est sa fraîcheur et sa nouveauté. Chacun de nous a eu, depuis notre dernière rencontre, l'occasion d'étudier chez des malades des problèmes nouveaux, inattendus même, et qui ne se représenteront peut être plus. Tout le matériel nécessaire à une étude et à une recherche originales se trouve dans notre travail quotidien auprès des malades. Il n'attend qu'un esprit d'investigation patiente et sérieuse, dépourvu de ce qui fait, à notre grand étonnement, que des hommes puissent considérer l'exercice de la médecine comme une chose morne, fade et ennuyeuse. Chacun devrait venir pour apprendre et devrait aussi apporter quelque chose à enseigner car, sur bien des points, l'expérience de l'un compense l'inexpérience de l'autre. À l'occasion de nos réunions, tous les enseignants de nos écoles devraient venir rencontrer leurs confrères pour rendre compte de leurs activités—ne détiennent ils pas en effet des postes de fiduciaires?—et montrer par leur travail et les moyens employés qu'ils méritent la confiance qui leur est accordée. Plus nous encouragerons l'aspect scientifique de nos rencontres, plus notre Association sera une réussite. Il en a été ainsi de nos associations soeurs en Grande Bretagne et, en France et en Allemagne, les sociétés correspondantes forment, au sein des associations générales, des sections pour l'avancement des sciences dont les séances sont exclusivement consacrées au travail.

L'un des avantages, et non des moindres, de nos réunions est la promotion de l'harmonie et de la camaraderie. Les médecins, en particulier dans les petites localités, vivent trop éloignés les uns des autres et ne se voient pas assez souvent. Dans les grandes villes, nous jouons sans cesse des coudes et nous nous heurtons les uns les autres sans trop en sentir les effets, mais malheureusement, dans les petites villes, comme les frictions s'exercent sur une petite surface, elles finissent par blesser et les mésententes réciproques entraînent la destruction de toute harmonie. Cette situation peut provoquer un isolement professionnel accompagné d'une influence corrosive des plus désastreuses qui transformera en quelques années le plus brave des garçons en un vieux Timon grincheux, maudissant l'exercice de la médecine en général et des collègues en particulier. Participer à nos assemblées annuelles est un moyen sûr de prévenir une telle maladie et une excellente façon d'en guérir. Mais je n'ai pas besoin d'insister—il faut vraiment qu'il soit étranger aux réunions comme les nôtres celui qui n'a pas senti le courant de sympathie et d'affection qui vient de la poignée de main échangée en toute camaraderie avec un compagnon de travail.

Il y a dans ce pays un véritable besoin pour une association comme la nôtre. Avec des provinces dispersées et isolées, qui s'autogouvernent et gèrent leurs propres affaires, notre organisation est le seul lien d'union professionnelle. Lors de nos réunions, nous ne sommes ni de l'Ontario, ni du Québec, ni du Manitoba, ni de la Nouvelle Écosse, mais du Canada et l'esprit provincial plus étroit fait place à un sentiment national élargi. Notre organisation doit jouer un rôle de plus en plus grand dans le développement futur de la profession. Étant donné la distance entre nos provinces, elle fait évidemment face à des difficultés d'ordre géographique mais il ne faut pas s'y arrêter. Une association itinérante opère toujours avec certains désavantages, mais c'est une situation que nous partageons avec d'autres organisations semblables établies dans d'autres pays. Les sociétés médicales provinciales qui ont été mises sur pied complètent le travail que nous faisons et sont une source d'énergie. Il est regrettable qu'il y ait encore une ou deux provinces qui n'en ont pas. Les sociétés de district à travers le pays deviennent de plus en plus solides et les médecins de partout reconnaissent les avantages de la coopération dans l'étude de notre profession.

Permettez moi de mentionner deux autres points en guise de conclusion. Lorsque l'Association choisit un lieu de réunion, elle devrait le faire selon le meilleur intérêt de la profession et il devrait être clairement entendu que, lorsque nous nous réunissons à un endroit donné, la seule tâche qui incombe à la profession locale est de trouver un lieu d'hébergement adéquat. Notre Association doit s'élever avec vigueur contre la pratique établie d'imposer aux médecins locaux la lourde tâche d'organiser aussi des divertissements. Nous devrions suivre en cela la coutume de la British Medical Association qui veut que, lors des assemblées, tous les membres souscrivent au dîner de l'association. J'aimerais aussi proposer le renouvellement de la nomination du comité de révision des règlements et de la constitution, car il y a certains changements qui pourraient faciliter le déroulement de nos réunions et qui devraient être discutés le plus tôt possible.

Et maintenant, messieurs, j'ai terminé et il ne me reste plus qu'à vous remercier de la délicate attention que vous avez accordée à un discours très terre à terre. Je ne voudrais pas vous quitter sans assurer mes confrères du Canada que, tout en n'étant plus l'un des leurs, je suis toujours avec eux en pensée, avec eux dans leurs efforts constants pour promouvoir l'avancement des meilleurs intérêts de notre profession et uni à eux par mille et un liens de camaraderie et d'amitié que l'absence ne fera pas fléchir et que le temps n'effacera pas.

---

[1] Finalement, grâce aux efforts de Thomas G. Roddick (1846-1923), la Loi médicale du Canada fut adoptée par le Parlement et approuvée par toutes les provinces, permettant ainsi la création du Conseil médical du Canada en 1912. Ceux qui réussissaient son examen se voyaient accorder le droit de s'enregistrer dans toute province sans autre examen. (C.G.R.)

OSLER À L'OEUVRE

Tiré de la collection personnelle de C. G. Roland

Le développement historique et la valeur relative des méthodes de diagnostic en laboratoire et en clinique

L'ÉVOLUTION DU CONCEPT DE L'EXPÉRIMENTATION EN MÉDECINE

Cet essai a été publié en 1907 dans les travaux du *Congress of American Physicians and Surgeons* (vol. 7, pages 1-8).

L'HOMME a mis du temps à apprendre qu'il pouvait tout aussi bien interroger la nature que l'observer. Les deux méthodes qu'il peut utiliser pour le faire, soit la méthode mathématique et la méthode expérimentale, ont toutes les deux été fructueuses—avec l'une, il a pu mesurer les dimensions célestes et harnacher les forces cosmiques à son gré; avec l'autre, il a résolu bien des problèmes de la vie et allégé bien des maux de l'humanité.

Nous n'avons pas de connaissance exacte des débuts de la science expérimentale, mais ce sont les hommes qui ont inventé le gnomon et prédit les ellipses dans les plaines de la Mésopotamie, cette mystérieuse race sumérienne, qui en ont jeté les fondements et leur savoir est devenu un instrument puissant aux mains de l'école philosophique ionienne dont Thalès est le maître vénérable. Penseurs avertis, dotés d'un instinct magique, ces Grecs anciens ont anticipé à peu près toutes les découvertes modernes, et nous avons des précisions au sujet d'au moins une expérience vraiment fondamentale, celle par laquelle Pythagore trouva que la hauteur du son dépendait de la longueur de la corde vibrante. « Le monocorde qu'il a utilisé pour ses expériences sur la physique des sons consistait en une corde tendue sur une boîte de résonance avec un chevalet mobile, au moyen duquel il était possible de diviser les cordes en différentes longueurs pour ainsi produire des notes basses ou aiguës sur une seule et même corde.»

Si les Grecs, en plus de leurs dons extraordinaires pour brillamment généraliser et minutieusement observer, avaient également eu la capacité de planifier et de réaliser des expériences, l'histoire de la pensée européenne aurait été fort différente, mais ni Platon ni Aristote n'avaient la moindre conception de la valeur de l'expérimentation comme instrument d'avancement du savoir. Hippocrate a compris, beaucoup mieux qu'aucun de ses contemporains, que le *fait* était un élément essentiel et, tout en ayant des notions théoriques des maladies, il considérait que les faits, obtenus au moyen d'observations, étaient l'alpha et l'oméga de l'art. Rechercher des faits en altérant les conditions offertes par la nature ne lui est pas venu à l'idée, même s'il a dû lui arriver à maintes reprises, dans le traitement des fractures, d'avoir à essayer de nouvelles méthodes et à imaginer de nouveaux procédés; secouer un homme affligé de liquide aux poumons pour obtenir ce qu'on appelle la succussion hippocratique fut certainement une expérience clinique digne de mention.

Les grands maîtres de l'École d'Alexandrie ont beaucoup souffert des avatars du temps. Si nous avions l'ensemble de leurs travaux, nous pourrions constater, qu'en plus d'avoir été les premiers grands anatomistes, s'ajoutait à leur perspicacité clinique extraordinaire un grand enthousiasme pour l'expérimentation qui, si l'on en croit Celse, les a amenés à pratiquer la vivisection sur des criminels. Comme son maître Praxagore, Hérophile a fait de l'état du pouls la mesure de la force de la constitution et l'a mesuré au moyen d'une clepsydre, bien que nous lui devions, à lui comme à Érasistrate, plus d'observations anatomiques et cliniques que physiologiques. Ils ont apporté l'art de l'observation d'Hippocrate jusqu'au charnier et ont été les premiers à apprécier la valeur de l'anatomie pathologique.

C'est parmi les dogmatiques et les empiriques qu'est née la science de la toxicologie et l'étude des poisons et de leurs antidotes a mis de l'avant cet aspect particulier de la médecine expérimentale. Ce ne sont pas seulement des animaux mais aussi des criminels qui étaient utilisés pour vérifier l'effet des poisons. Cet art atteignit son apogée avec Mithridate, l'étudiant royal, qui pourrait encore aujourd'hui parler fort intelligemment avec Ehrlich au sujet de l'immunité, dont il avait saisi deux faits fondamentaux—l'accoutumance conférée par l'administration de doses croissantes du poison et l'utilisation du sang d'animaux devenus immunisés. Imaginez comme il aimerait pouvoir aujourd'hui visiter un laboratoire d'antitoxines de la diphtérie, où il pourrait comparer les méthodes utilisées pour le cheval avec celles qu'il employait autrefois pour ses canards. Le nom de ce grand roi est à jamais inscrit dans la profession depuis près de deux mille ans avec l'antidote universel, le mithridaticon, composé de 50 à 60 ingrédients.

Un seul parmi les anciens pourrait de nos jours pénétrer dans un laboratoire de physiologie et s'y sentir comme chez lui. Claudius Galien n'était pas meilleur observateur qu'Hippocrate, ni peut-être meilleur anatomiste qu'Hérophile ou Érasistrate. Ce n'était pas non plus un chirurgien aussi brillant et audacieux qu'Antyllus, mais il se distingue dans notre histoire comme le premier médecin à avoir eu une conception claire de la médecine en tant que science. Il a compris que, toute aussi précieuse que fût l'observation, le fait à lui seul n'était pas de la science, mais seulement une étape préliminaire, un premier pas vers un rassemblement organisé de faits d'où pouvaient découler des principes et des lois. Il fallait non seulement connaître la structure, ce dont se contente l'anatomie, mais aussi la fonction, l'usage de la partie en question; non seulement devait-on étudier les symptômes de la maladie, mais aussi en rechercher les causes, l'origine. Lors de brillantes expériences sur le coeur et les artères, il a presque démontré l'existence de la circulation sanguine; dans ses travaux sur le système nerveux, il a anticipé les découvertes de Bell et de Marshall Hall et il a posé les fondations de nos connaissances sur la physiologie du cerveau et de la moelle épinière.

Pendant de longs siècles, l'anatomie, la physiologie, la chirurgie et la pratique de Galien ont dominé les écoles—celles de Byzance, d'Arabie, de Salerne; toutes se sont inclinées dans une humble et servile soumission à son autorité, accaparant tout de lui sauf l'esprit, tout sauf l'instrument nouveau qu'il avait mis entre les mains de la profession. De précieuses observations ont continué à se faire et le Moyen Âge n'a peut-être pas été aussi stérile qu'on nous l'a fait croire, mais il n'y a eu nulle part d'autres tentatives pour reprendre le travail expérimental qui avait pris un départ si prometteur. Les Arabes, toutefois, devaient rallumer le flambeau à la flamme des lampes d'Aristote et de Galien et, durant la première renaissance grecque du 8e au 11e siècle, la profession atteignit chez eux une dignité et une importance qui ne trouvent pas facilement de parallèle dans son histoire. Les fondements de la chimie moderne étaient jetées et de nombreuses nouvelles drogues furent ajoutées à la pharmacopée. Cependant, même si Rhazès fut reconnu comme étant l'expérimentateur, on ne retrouve rien dans ses écrits ou dans les écrits d'autres membres de l'école arabe qui constitue une solide contribution à l'anatomie ou à la physiologie. La seconde renaissance grecque, à la fin du 15e siècle, ne changea rien à la situation. On était trop affairé à racler la ternissure arabe de l'or pur de la médecine grecque et à corriger les erreurs de Galien en anatomie pour se préoccuper de perturber sa physiologie ou sa pathologie. Ici et là, chez les grands anatomistes de l'époque, on fait mention d'une expérience, mais c'est l'art de l'observation, l'art d'Hippocrate, et non la science de Galien, non l'expérience soigneusement planifiée en vue de déterminer la fonction, qui a caractérisé leur œuvre. Il y avait en effet toutes les raisons du monde pour que l'on se contentât de la physiologie et de la pathologie du temps, qui d'un point de vue théorique, étaient excellentes. La doctrine des quatre humeurs et de l'esprit naturel, animal et vital fournissait une explication toute prête des symptômes de toutes les maladies et la pratique d'alors s'adaptait admirablement aux théories. Il n'y avait ni pensée, ni désir de changement. Mais la renaissance du savoir souleva d'abord le soupçon, et plus tard la conviction, que les anciens avaient omis certaines choses auxquelles une recherche indépendante permettrait d'accéder et la torpeur quasi paralytique s'évanouit ainsi peu à peu. Des esprits indépendants, comme Paracelse, défièrent toutes les traditions académiques et jetèrent aux quatre vents les doctrines de Galien et d'Avicenne. Toutefois, tout au long du 16e siècle, il y eut peu de travail expérimental en médecine et, même si Paracelse et ses disciples firent quelques recherches en chimie et améliorèrent l'art de la pharmacie, on en était encore à l'âge de l'oeil et de la main habile, aucun instrument de l'esprit n'ayant encore été réquisitionné. L'astronomie, qui avait donné à la science son premier élan, lui donna un nouveau départ et les inventions ainsi que les découvertes de Copernic, de Kepler et de Galilée ravivèrent l'esprit de création mécanique et d'expérimentation en médecine. Vous vous souviendrez que, lors de notre deuxième Congrès, le Dr Weil Mitchell avait raconté de façon très claire l'histoire de la précision instrumentale en médecine. Une partie importante de ce discours était consacrée à Sanctorius et à sa construction du thermomètre, au pulsiloge de Galilée et à la balance. On ne peut rien ajouter à la description qu'a faite le Dr Mitchell des travaux expérimentaux et cliniques de Sanctorius; c'est en fait le seul compte rendu complet en anglais et, comme il le faisait remarquer, c'est dans les investigations de ce médecin italien que nous retrouvons les débuts de nos travaux expérimentaux et cliniques sur la physique de la circulation et de la respiration et sur le métabolisme. La mémoire du grand investigateur n'a pas été servie par l'édition anglaise des aphorismes, qui est un travail médiocre, avec une illustration de l'auteur dans sa balance diététique et nous devons nous référer à l'oeuvre originale ou au discours du Dr Mitchell pour bien comprendre que c'est avec lui que la science de la médecine a pris un nouveau départ en commençant à utiliser des instruments de précision pour soutenir l'observation.

Au même moment, Harvey travaillait sans bruit au problème de la circulation sanguine et il perfectionna au cours de longues années ses remarquables démonstrations. Il est intéressant de constater que sa méthode de travail constituait un nouveau départ et démontrait un esprit nouveau. Il nous faut retourner à Galien et à son hémisection de la moelle épinière ou à son incision du nerf laryngé récurrent pour retrouver des études comparables, délibérément planifiées et délibérément exécutées par le biais d'expériences.

Ni Sanctorius ni Harvey n'ont eu sur leurs contemporains l'influence immédiate que justifiait le caractère innovateur et stimulant de leurs travaux. Bacon, le célèbre compatriote de Harvey, bien qu'il devait perdre la vie au cours d'une expérience de réfrigération, ne s'est pas pleinement rendu compte de l'importance énorme de la science expérimentale. C'est un philosophe d'une autre trempe, René Descartes, qui fit plus que tout autre pour faire comprendre à sa juste valeur ce que Harvey avait proposé. Avancer, comme il l'a fait, que le commencement de la sagesse résidait dans le doute et non dans l'autorité, cela représentait une doctrine nouvelle dans le monde, mais Descartes n'était pas un philosophe de salon et sa défense acharnée ainsi que sa pratique de l'expérimentation eurent une profonde influence pour conduire l'homme vers la *nouvelle méthode*. Il a amené le corps humain, la machine terrestre, comme il l'appelait, dans la sphère de la mécanique et de la physique et a écrit le premier manuel de physiologie, *De l'homme*. Locke devint lui aussi le porte parole du nouvel esprit interrogateur et, avant la fin du 17e siècle, la recherche expérimentale était devenue à la mode; Evelyn nous raconte que le Joyeux Monarque lui même avait son laboratoire et connaissait plusieurs des médecines empiriques. Lower, Hooke et Hales furent probablement plus influencés par Descartes que par Harvey et contribuèrent de façon remarquable à la physiologie expérimentale en Angleterre. Borelli, de son côté, apporta à l'étude de l'action musculaire une connaissance approfondie de la physique et des mathématiques et c'est à lui en fait que l'on doit l'école iatro mathématique.

La chimie expérimentale moderne a eu son origine dans l'alchimie des Arabes et on peut suivre ses progrès à travers Basil, Valentine, Paracelse, van Helmont, Boyle et Sylvius. Mayow, au cours d'une brillante série de recherches, résolut le problème de la combustion et démontra le rôle essentiel que la portion nitroaérienne (l'oxygène, comme nous le savons aujourd'hui) de l'air joue dans la respiration.

Durant la seconde moitié du 18e siècle, la science expérimentale reçut un formidable élan grâce aux travaux de deux hommes. Spallanzani démontra la nature chimique du processus de la digestion et notre science moderne de la reproduction trouve son origine dans ses travaux. Quant à John Hunter, on retrouvait chez lui une triple combinaison des plus rares—des pouvoirs d'observation quasi inégalés en étendue et en acuité, un génie parfait pour l'expérimentation et une perception toute philosophique des problèmes de la maladie qui lui permirent d'élever la pathologie au rang de science. À son élève et ami, Edward Jenner, nous devons les grandes expériences qui marquent le début de nos travaux pratiques en immunité.

Au début du siècle dernier, l'art de l'observation, ce grand instrument d'Hippocrate, connut un développement intégral avec l'école française qui donna au diagnostic de la maladie des assises solides alors que, dans les années quarante, l'oeil perçant de Virchow nous révélait pour la première fois les véritables foyers des maladies. Les travaux de Bichat, de Laennec, de Louis et les études monumentales du grand pathologiste berlinois illustrèrent ce que la méthode inductive rigide pouvait accomplir chez des esprits libérés de toutes les théories alors prédominantes sous le contrôle de la loi des faits, et délivrés du jeu des hypothèses. Toutefois, le siècle était déjà bien avancé quand la profession médicale commença enfin à apprécier à sa pleine valeur la méthode de Galien, de Harvey et de Hunter. Ceci est d'ailleurs bien illustré par ce que raconte Hermholtz à propos d'un professeur de physiologie célèbre qui, invité à être témoin d'une expérience d'optique, répondit, « Un physiologiste n'a rien à faire des expériences quoiqu'elles peuvent bien suffire à un physicien! » La seconde moitié du siècle pourrait bien s'appeler l'ère de la médecine expérimentale. Les résultats prodigieux dans ce domaine suivent trois voies principales—la découverte des fonctions des organes, des causes des maladies et de nouvelles méthodes de traitement. En fait, en une seule génération, on a été témoin d'un réajustement complet de notre façon de voir en physiologie, en pathologie et en pratique médicale, et tout cela est venu de la reconnaissance de l'expérimentation comme véritable fondement de la science. Beaucoup de choses ont été accomplies, mais lorsque nous envisageons ce qu'il reste à faire, nous constatons que ce n'est qu'un début et qu'il n'existe pas un secteur de la médecine pratique qui n'ait d'innombrables problèmes majeurs qui soient toujours en attente d'une solution. Or, tout progrès nouveau en physiologie exige que le pathologiste et le clinicien changent leur manière de voir et revisitent d'anciens problèmes que l'on croyait réglés. Des travaux, comme ceux de Starling sur la corrélation des sécrétions, ont déjà ouvert un nouveau champ d'observation et de recherche. Avec les progrès de la physique et de la chimie, il devient de plus en plus difficile de trouver des hommes avec la formation nécessaire pour s'attaquer intelligemment à ces problèmes compliqués. Nous devons annexer à nos grands hôpitaux des laboratoires cliniques; ceux-ci prendront en charge des hommes choisis pour faire ce travail par des directeurs qui sont eux-mêmes à la fois des penseurs et des exécutants car il arrive souvent que toute l'essence d'une expérience réussie soit dans la pensée qui l'a précédée. *Deviner avant de démontrer* doit être la devise de tout expérimentateur. Nous devons avoir des cliniciens qui se tiennent en contact étroit avec la physiologie, la pathologie et la chimie et qui sont prêts à communiquer, par les voies appropriées, le savoir du laboratoire aux salles des hôpitaux. La clinique médicale bien organisée est un centre d'échange pour les négociants scientifiques qui font affaire dans tous les coins de l'organisation corporelle et lorsqu'on veut appliquer des faits nouveaux à la médecine, ils doivent passer par là ou par le groupe, encore petit mais sans cesse croissant, d'hommes qui réussissent à trouver du temps dans leur pratique quotidienne. Une chose est certaine : c'est à nous, cliniciens, d'aller vers les physiologistes, les pathologistes et les chimistes—ils ne viennent désormais plus à nous. Pour notre plus grande perte, ces sciences sont devenues si compliquées et exigent une tel engagement tout au long de la vie que des physiologistes comme Hunter, Bowman et Lister ne deviennent plus chirurgiens, que des chimistes comme Prout et Bence Jones ne deviennent plus cliniciens et que, ce qui est le plus triste, la chaire de pathologie n'est plus un tremplin pour la chaire de médecine. Il faut savoir remplir les nouvelles conditions si l'on veut que le progrès se maintienne. On trouvera, dans tous les pays, des hommes forts comme Weir Mitchell, Mackenzie de Barnley, Meltzer et Christian Herter qui trouvent le moyen de combiner le travail expérimental avec la pratique, mais nous devons reconnaître le besoin urgent d'organisation si nous voulons que la médecine interne reste au fait de l'avancement rapide des sciences. Un coup d'oeil sur le programme de la réunion de l'Association américaine des médecins montre bien la position dominante de l'expérimentation de nos jours.

Pour chacun de nous, la vie est une expérience dans le laboratoire de la Nature. Elle nous analyse et nous met à l'épreuve de mille et une façons, se servant de nous et nous améliorant si nous faisons son affaire, nous supprimant sans pitié dans le cas contraire. La maladie est une expérience et la machine humaine est un milieu de culture, une éprouvette et une cornue—ce sont les agents externes, le milieu et la réaction qui en constituent les facteurs. Nous faisons constamment des expériences avec ce que nous buvons ou mangeons et la phrase qui revient si souvent sur nos lèvres, « Est-ce que cela vous convient? » montre que plusieurs de nos gestes quotidiens sont des tentatives. Le traitement des maladies a toujours été expérimental et a en fait commencé par des interventions à l'aveuglette d'amis et de parents qui voulaient aider la personne souffrante. Chaque dose de médicament administré est une expérience, étant donné qu'il est impossible de prédire dans chaque cas ce que sera le résultat. Des milliers de doses de cinq grains d'iodure de potassium peuvent être administrées sans effets néfastes, mais il peut se présenter des conditions qui provoqueront chez le malade une crise de purpura ou entraîneront un résultat fatal. Une déviation de ce que nous avions considéré comme étant une règle admise, la rupture d'une séquence que nous croyions invariable démontrent bien qu'il est impossible de fixer des règles générales pour le corps humain avec la même rigidité d'application qu'en physique et en mécanique. Les limites d'une expérimentation justifiable chez nos semblables sont bien définies. L'essai final de tout nouveau procédé, qu'il soit médical ou chirurgical, doit se faire sur l'homme, mais jamais avant d'avoir été essayé sur l'animal. Il y en a qui considèrent cette pratique illicite, mais aucun progrès ne peut se faire autrement et nous n'aurions pu mettre au point plusieurs de nos plus utiles mais très puissants médicaments si l'expérimentation animale avait été prohibée. Dans le cas de l'homme, une sécurité absolue et le plein consentement sont les conditions qui font que de telles expériences sont autorisées. Nous n'avons pas le droit d'avoir recours aux malades confiés à nos soins à des fins d'expérimentation à moins qu'il soit probable qu'il n'en résulte un avantage direct pour l'individu concerné. Une fois qu'on a transgressé cette limite, le lien sacré qui unit le médecin et le malade se rompt sur le champ. Le risque que courra l'individu doit être pris avec son consentement et en toute connaissance de cause, comme cela a été fait dans une foule de cas, et nous ne pourrons jamais assez honorer la bravoure de nombre d'hommes, comme ces soldats qui se sont volontairement soumis à des expériences sur la fièvre jaune à Cuba sous la direction de Reed et Carroll. L'histoire de notre profession est parsemée d'actes héroïques de la part de nos membres qui ont sacrifié leur santé et parfois même leur vie pour venir en aide à leurs semblables. L'enthousiasme pour la science s'est, dans certains cas, traduit par des transgressions regrettables de la règle à laquelle j'ai fait allusion, mais ce ne sont là que de simples petites taches qui d'aucune façon n'affectent la clarté de l'image—l'une des plus éclatantes de l'histoire de l'effort humain—qui illustre les avantages incalculables qu'a procurés à l'homme l'introduction de l'expérimentation dans l'art de la médecine.

Une note sur l'enseignement de l'histoire de la médecine

Cette note a d'abord été publiée sous forme de lettre au rédacteur du *British Medical Journal* (Vol. 2, page 93), le 12 juillet 1902.

DANS LE CADRE de la discussion qui s'est tenue sur le sujet dans les colonnes du *British Medical Journal*, une brève description des méthodes adoptées par l'École de médecine Johns Hopkins peut présenter quelque intérêt.

1. *Les cours*—Depuis l'inauguration de l'hôpital en 1889, le Dr John S. Billings est chargé du cours d'histoire de la médecine et donne tous les ans ce cours qui est optionnel.

2. *Le Club d'histoire*—Organisé en 1889, il se réunit mensuellement durant la session d'hiver. Au cours des trois premières années, il s'est efforcé de traiter systématiquement des grandes époques. Le Dr Welch a traité à fond de l'École d'Alexandrie et de l'École arabe et une soirée a été consacrée à une exposition des principaux ouvrages sur l'histoire de la médecine. Le Dr Kelly y a apporté à plusieurs reprises des trésors de sa collection personnelle et a présenté plusieurs communications sur l'histoire de l'obstétrique et de la gynécologie. Les volumes du *Hospital Bulletin* contiennent une douzaine d'articles présentés au Club parmi lesquels un certain nombre ont eu l'honneur d'être mentionnés dans le *Journal.* Dans l'ensemble, le Club a été un succès, non seulement pour stimuler l'intérêt pour le sujet traité, mais aussi comme moyen de formation.

3. Lors de leur travail quotidien auprès des malades dans les hôpitaux ou au service de consultations externes, on doit encourager les étudiants à prendre l'habitude de considérer les problèmes d'un point de vue historique. J'en fais d'ailleurs une particularité de mon enseignement dans

WILLIAM OSLER

ma classe de malades externes. Un cas de goitre exophtalmique se
présente—la question est aussitôt posée. Qui était Graves? Qui était Parry?
Qui était Basedow? Évidemment, l'étudiant ne le sait pas; on lui demande
d'apporter un autre jour l'article original et on lui laisse cinq ou dix
minutes pour lire un bref aperçu historique. Je tire au hasard du manuel de
classe les titres de quelques sujets qui ont été traités pendant la session en
cours, très souvent pour l'édification des professeurs aussi bien que des
étudiants : la description de la chorée par Sydenham, la méthode de
Valsalva dans le traitement des anévrismes, celle de Tufnell, l'histoire de

nos connaissances sur l'intoxication par le plomb, Abram Colles et sa loi, l'action protectrice de la valvule tricuspide décrite par le Dr King, la description originale par Bright de la maladie qui porte son nom, la description originale du rachitisme par Glisson, Blaud et sa pilule, l'histoire de l'hémophilie en Amérique, l'histoire du diabète.

4. Une fois par semaine, autour « d'une petite bière et d'une pipe », je rencontre les étudiants externes pour une conférence improvisée sur les événements de la semaine. Je donne une petite causerie d'une demi heure sur l'un des « Maîtres de la médecine » au cours de laquelle sont exposées, autant que possible, les éditions originales des ouvrages concernés.

Comme le programme d'études est présentement très chargé, il n'est pas souhaitable d'ajouter « l'Histoire de la médecine » comme sujet obligatoire. Un cours intéressant attirera les bons hommes et leur fera du bien, mais il est encore beaucoup plus important d'habituer l'esprit de l'étudiant à observer les choses d'un point de vue historique. Tous les professeurs qui savent apprécier le bien-fondé de l'observation de Fuller peuvent le faire par eux-mêmes :

« L'histoire permet à un jeune de vieillir sans rides ni cheveux gris en lui conférant l'expérience de l'âge, sans les infirmités ni les désagréments qui s'y rattachent. En vérité, elle rend non seulement présentes les choses du passé, mais elle permet d'établir une conjecture raisonnable au sujet des choses à venir. C'est que notre monde n'apporte rien de nouveau sinon dans le sens que l'on donne à une nouvelle lune qui est en fait la même qu'auparavant mais sous une forme nouvelle. Les anciens faits reviennent toujours, remis à neuf par des circonstances nouvelles et différentes. »

Postface

Cette sélection de sept articles choisis dans une bibliographie qui en compte plus de 1 500 peut sembler être un échantillon arbitraire et non représentatif de la pensée d'Osler. Néanmoins, même ce petit nombre révèle beaucoup à propos de l'un de nos grands prédécesseurs. Il est à espérer que cette courte anthologie donnera aux étudiants en médecine canadiens une première occasion de comprendre l'envergure de William Osler et la portée de sa vie et de son œuvre.

C.G.R.

Bibliographie sélective

Michael Bliss

William Osler: A Life in Medicine,
Toronto, University of Toronto Press, 1999.

Harvey Cushing

The Life of Sir William Osler, 2 volumes,
Oxford, The Clarendon Press, 1925.

Richard F. Golden
et
Charles G. Roland

*Sir William Osler: An Annotated Bibliography
with Illustrations,* San Francisco,
Norman Publishing, 1988.

Earl F. Nation,
Charles G. Roland &
John P. McGovern

*An Annotated Checklist of Osleriana:
Volume One,* Montréal, Osler Library,
McGill University, 2000.

Earl F. Nation, MD,
Charles G. Roland, MD,
John P. McGovern, MD

*An Annotated Checklist of Osleriana:
Volume Two,* Montréal, Osler Library,
McGill University, 2000.

Anne Wilkinson

*Lions in the Way: A Discursive History of the
Oslers,* Toronto, The Macmillan Company
of Canada, 1956.